わたしをつくるまちづくり

地域をマジメに遊ぶ実践者たち

尾野寛明・中村香菜子・大美光代

目次

執筆者紹介

尾《お》野《の》寛明《ひろあき》

全国20箇所以上で「起業しないまちづくり塾」塾長をつとめる風の人。人々に「いいね！ YOUやっちゃいなよ」と声をかけながら、自分は3泊以上同じ場所にとどまることない旅する古本屋。うっかり出会った人をまちづくりプレイヤーに仕立て上げる令和の無責任男。有限会社エコカレッジ代表取締役、総務省地域力創造アドバイザー。

元保育士で3児の母。自身の子育てに悩みながら、母親同士で助け合う団体を作り活動をしてきた。人生のテーマは「ダイバーシティ&インクルージョン」。さみしがりやで、人と共感することが大好き。違う人とも分かり合いたいという願いをいつも持っている。パッションと感覚で生きている。一般社団法人　ぬくぬくママSUN'S代表理事。

中村《なかむら》香《か》菜《な》子《こ》

大《おお》美《み》光代《てるよ》

数年前まで「地域」の「ち」の字も興味がない会社員だったが、たかまつ地域づくりチャレンジ塾の受講をきっかけに、ジワジワ地域というフィールドに巻き込まれていく。「お役に立つ」「楽しい」ことが大好きで、少々の苦労は無理矢理「オモシロイ」に変換してしまう。目指すは地域No.1賑やかし！ NPO法人わがこと 代表理事。

はじめに
普通の人の「わがこと」からはじめよう

中村 香菜子

私からはじまるコミュニティワーク

第１回私からはじまるコミュニティワーク

その日私はどん底に体調不良でした。２０１８年４月21日、私の所属しているＮＰＯ法人わがことの設立キックオフイベント、〈私からはじまるコミュニティワーク〉というイベントでした。大事な日に限って眠れない。緊張のせいです。ここのところ、「おのさん」が高松にやってくる日はほとんど眠れたためしがありませんでした。

寝不足で頭が重い、胃もキリキリと痛い。でも行かなければ……私は力を振り絞って会場へと出かけたのでした。打ち合わせをかねたランチ会場に「おのさん」は現れました。

「おっす！　元気？？」

私の体調の悪さなど絶対この人にはわからない……と思いながら私も
「おはよ〜今日はどこから〜？」

と聞くと、今日は島根から来たとのこと。この人は３泊以上同じ場所で泊まり続けたことがないというのが自慢なのです。

「大丈夫？？　顔色悪いで」

話しかけてくれたのはわがこと代表の「おーみさん」です。「大丈夫、緊張のせいだと思うから」と、答えながら私はいつからこんなにおーみさんと仲良くなったのだろうと思いました。人の細かい表情に相変わらずよく気がつく人です。初めて会ったのは２０１６年。第一印象は超苦手なタイプ。まさか、こんな風に力を合わせてイベントを開催することになるとは夢にも思っていませんでした。

13時30分の開場とともに、高松市の中心部にある市民活動センター内の多目的スタジオに多くの人が集まってきました。どの人もわくわくした顔をしています。若い人、年配の方、男性、女性、子どもや赤ちゃんを連れた方もたくさん。この日は託児ルームも設けま

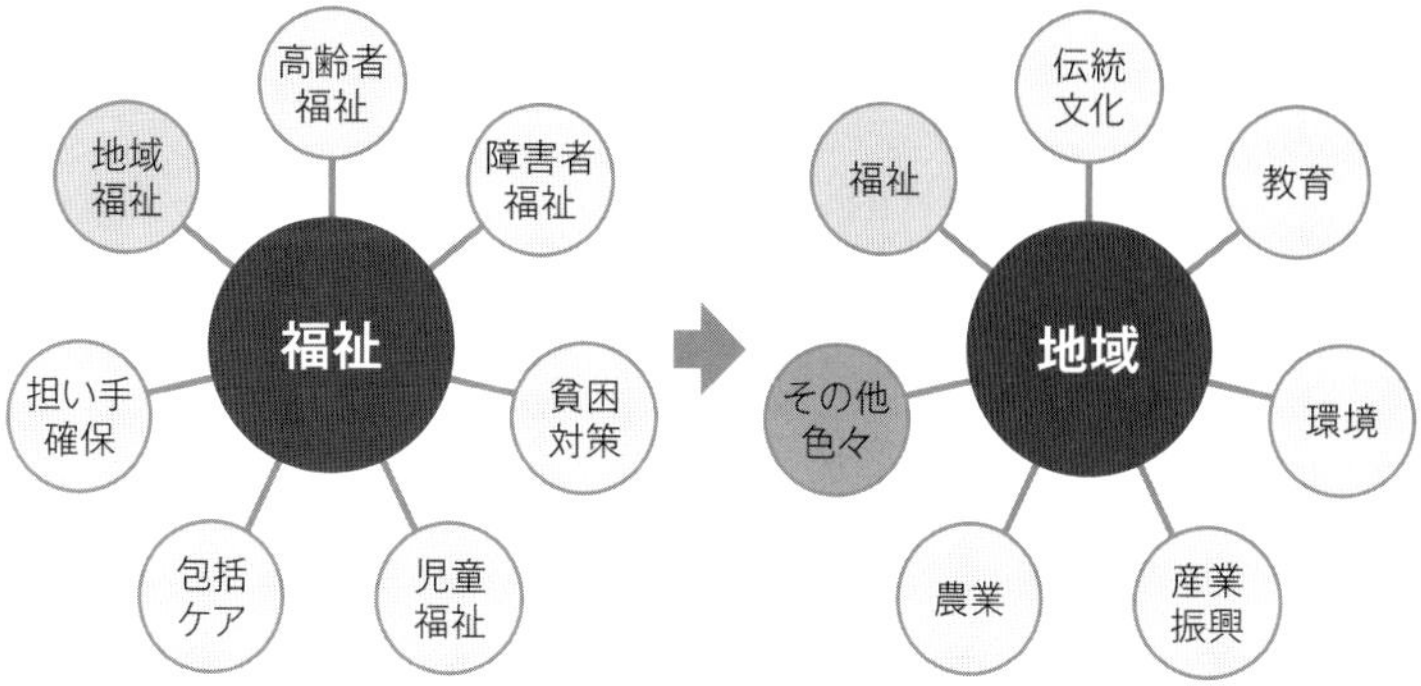

狭い枠組みで地域連携を考えず、今一度地域の異業種とつながる発想を
（イベント当日資料より）

した。この人たちの顔を見ていると少し元気がわいてきて、気がつくと、私は笑顔で「こんにちは。どちらから来られたんですか？」と様々な人に聞いていました。

普段からお世話になっているファシリテーターの谷益美さんの進行で、ゲストのおのさんと、当時山梨学院大学教授の竹端寛先生（現在兵庫県立大学）の軽快な掛け合いが始まりました。

まちがいなかった。この3人の話、おもしろいし胸が躍る。隣を見ると、おーみさんがとびきりのにこにこ顔でうなずいていました。これからは、分野ごとに分かれて悩んでばかりいたのでは始まらない。福祉、芸術、産業、観光、教育など、それぞれの分野ごとにわか

れたままではなく、地域の中でそれらが混じりあい、つながりあっていくことが大事なのではないか。（前頁の図参照）

思わず私とおーみさんは顔を見合わせてもう一度大きく何度もうなずきました。

後半部分では、参加者それぞれの人が「わがこと」の話をしました。

「今日どうしてもここに来たくて、この子（1才）をおぶって来たんです」

「私は英語が好きで、みなさんに英語を伝えられる場所がないかなといつも探していますす」

「僕は市役所の職員ですが、どうしても市民のみなさんが芸術をわかちあえるような市民会館をつくりたいんです」

「私、実は結婚が2回目で実の子供と義理の子供を育てているんです。こういう家族のこと、ステップファミリーっていうんですよ」

どの人も目をキラキラさせています。いつの間にか私の頭痛も腹痛も治っていました。

おのさんが何度も教えてくれたこと。おーみさんと何度も語り合ってきたこと。

「1人のカリスマではなく、100人の普通の人の力で地域をおもしろくしたい」

イベントは85名の参加の下、大盛況に終わりました。企画立ち上げから、おーみさんと2人、法人スタッフの力も借りながら準備してきました。これからの法人の活動目的に賛同してくれた仲間もそろっての初めてのイベント。感無量でした。

その日、イベントが終わっても参加者のみなさんが外のフロアで立ち話を続ける姿がありました。私とおーみさんはうれしくてたまりませんでした。

「やってよかったね」「これを続けていきたいね」

その夜、そんな話をしながら私たちも祝杯をあげたのでした。

これが、この本の著者2人と共に私が今関わっている「NPO法人わがこと」の始まりでした。

参加者同士で話が弾む

うっかりからはじまる

みなさんはじめまして。

香川県高松市の主婦、中村香菜子です。２０２１年現在、５つ年上の夫、高１長女、中１長男、小３次男の５人家族。ごく普通の暮らしをしていると思っています。

一方で、「一般社団法人ぬくぬくママＳＵＮ’Ｓ《さんず》」の代表理事、そしてＮＰＯ法人わがことの副理事という肩書を持って市民活動にも日々取り組んでおります。個人的に、これは「仕事」ではなく、「活動」と言うようにしています。もちろん、ボランティアではなく、報酬はいただくようにしていますが、あくまでも「お金」のためにやっていることではない、というのが私のポリシーです。では、だれのためにしている活動か？　と聞かれると、私は迷いなく**「自分自身のため」**と答えると思います。地域での活動は、**「人のため」**にするというイメージがあるかもしれませんが、私はいつも自分のために活動をしています。なくてはならない大切な自己活動であり、ライフワークであります。

「ぬくぬくママSUN’S」＝乳幼児子育て家庭と地域をつなぐ活動

「NPO法人わがこと」＝一人ひとりの出番を創出し、多様なコミュニティのつなぎ役になる

難しい言葉を使うとそのような感じになりますが、簡単に言えば、**「子供も大人もみんな仲良く楽しくおもしろく暮らしていこうよ」**という活動です。

代表を務めるぬくぬくママＳＵＮ，Ｓは、コロナの前には年間２５００世帯以上の乳幼児子育て世帯が楽しめるイベントづくりをしていました。コロナ禍でも頑なに活動を続ける私たちのことを地元テレビ局が１時間のドキュメンタリーに取り上げていただきました。そんな感じで、少しは地域で注目される団体となっているかなと思います。よく「どのようにして団体を立ち上げられたのですか？」と聞かれますが、私は、もともと法人を立ち上げて事業をしようだとかいう気持ちは毛頭ありませんでした。自分が「こんなのあったらいいかも」と思ってやってきた小さな活動がいつの間にか、少しずつ少しずつ、広がっていったという印象です。どう考えても、**「うっかりこんなことになっちゃってます」**としか言いようがありません（笑）

真っ白いノートに幸せの種を描こう

地域で活動していると、「私なんて何の特技もなくて……私には無理です」という人によく出会います。ちなみに私も特に特技はありません。家の片づけが全くできず、計算をすればすぐ間違うし、人を困らせるような発言もすぐにしてしまいます。できないことだらけです。でも、好きなことがあります。おしゃべりすること、文章を書くこと、考えること、赤ちゃんを抱っこすること、走ること、山に登ること、歌うこと、おいしいものを食べること……ほかにもたくさん。

好きなことをしているとき、あなたはどんな気分ですか？ きっとニコニコしていますよね。その姿を見ている誰かはどんな気分だと思いますか？ やっぱりうれしいですよね。いい地域を作るには、一人一人が楽しいことを見つけ、極めていくことが大事だと私は思います。どんな人にも好きなことがあり、できることがある。それなのに多くの人が「私なんて」と、何もする前からあきらめてしまっていると思います。

こんな風に私が話すとおーみさんは「そんなの私にはない。」と言います。確かに私は、何かをしたい気持ちが人よりも強いほうかもしれません。でもおーみさんには、自分が強くやりたいと思うことがない代わりに、誰かのやりたいことを応援したいという気持ちが、溢れていると私は感じています。

「地域」というフィールドは少し特殊です。学校や会社には、大きな組織の用意してくれた問題集がもともとあります。それをできるだけ疑問を持たずに、組織の求める答えを考えていく作業が求められています。しかし、地域には既存の問題集はありません。真っ白いノートに、みんなで自由にさまざまなことを描いていけます。絵を描きたい人、文章を書きたい人、それを読みたい人、じっとみんなの様子を見ている人、様々な人が関わっていくことでそのノートは素敵な作品に仕上がっていくのです。どこにも答えも採点基準もありません。誰かに評価してもらうためのノートではなく、それはまぎれもなく自分のための**わがことノートづくり**なのです。

学校や会社を辞めて地域に専念する必要はありません。勉強や仕事の合間の、ちょっとしたあなたの気づきが豊かな地域を作ります。「これ、どうにかならないかな?」「もっとこうだったら楽しいのに」そんなちょっとだけ思ってはあきらめてしまうつぶやきを、忘れてしまわず、隣にいる誰かに話してみませんか? それはきっとあなたの幸せの種で、豊かなまちづくりの種でもあるのです。

地域づくりは、わたしづくり。とてもおもしろいです。時には、地域のためにがんばりすぎてしまうこともあります。そんな時はいつも自分が幸せかどうか、楽しめているかどうかを自分に問いかけます。自分自身が幸せで、笑っているからこそ、誰かのことも幸せにできるのだと思います。

この本は、「うっかり」地域づくりに足を踏み入れてしまった3人による、涙あり笑いありドタバタ人生の地域コミュニティ実践を紹介しています。個性バラバラの3人のストーリー、きっとあなたにもどこか重なり合う部分があるのではないでしょうか。

最後まで読み終わったときに「私にもできるかな？　あれをやってみようかな」と、あなたが見つけた種から色とりどりの幸せの花が咲き誇り、豊かな地域が広がっていくことを願っています。

第Ⅰ部 わたしづくりのはじまり

第１章　大美光代

笑って泣いて流されて、ふと手にした地域への切符

『誰かのお役に立つ』ということが原動力になる人」とよく言われます。確かに、幼い頃からお世話焼きで、要領が良く、頼りにされることは多かったように思います。物心ついた頃から、「周りに合わせる、馴染ませる」というのが得意でした。一方で、調整したり、期待に応えることは得意でも、「自分はどうしたいか」と主体的に考えて行動することは苦手だったように思います。というか、実は今も苦手です。NPO活動をしている人は、主体性が強く、やりたいことがはっきりとしている方が多いのですが、私はそうではありません。今でも、「なぜ私がNPOなんか？」と思うこともありますが、今につながる価値観は、日々の暮らしの中で着々と積み重ねられていたのだと思うのです。

ばあちゃんが喜んでくれるから

小学生の頃は、運動はあまりできないけど、お勉強の方は授業に集中するだけで学校のテストの点数は割と採れるタイプでした。音読をさせたら「上手ね」と褒められ、算数の時間には、文章問題を分かりやすく図解して、友達に重宝されていました。理科の実験も大好きでした。お勉強以外でも、毎年お決まりのように学級委員にも選出され、クラスのお世話係を喜んで引き受けていました。

ただ、初めからお勉強やお世話係が好きだったのかというと、そうではなかったように思います。

私が小学校に上がる半年ほど前に、両親がマイホームを新築し、引っ越しました。父方の実家から歩いて10分ほどの場所だったので、週末はよく祖父母の家に遊びに行っていました。絵に描いたようなジジババっ子でした。祖父はニコニコとよく笑う人で、天気の良い日には一緒にサイクリングに出かけたりもしました。祖母はどちらかというと厳しい人で、「勉強しょんな?(してるの?)」「学歴が大事や。勉強したことはあんたを裏切らんのや」というのが口癖。両親に「勉強しなさい」と厳しく言われた記憶はあまりないのですが、その分、祖母に言われていたように思います。これを書いている今、私は香川大学大学院地域マネジメント研究科に在学しているのですが、40歳目前での大学院進学を一番喜んだのも、祖母でした。

幼い頃に勉強を頑張っていたのは、この祖母に喜んでもらいたかった気持ちが大きかったのだと、今更ながらに思います。学級委員になると「任命書」なるものを学校から渡されるのですが、それを祖母に見せると毎回とても喜んでいましたし、成績表も祖父母に見せるのが当たり前でした。**「良い成績を持って帰ると、大好きなばぁちゃんが喜ぶ」**これが幼い私のモチベーションだったのです。

都合の良い子

学級委員も、結局のところは性に合っていたようで、アルバムなどを確認して見ると、中学校卒業まで毎年やっていました。祖母が喜んでくれることに加えて、「みんなが私を選んでくれる、必要としてくれる」というのが嬉しかったのでしょう。そして、その期待には割としっかり応えていく子どもでした。

この頃から「お願い」にはめっぽう弱くて、担任の先生に、「明日の学級会、これを決めたいの。司会をしてくれる?」なんて放課後にお願いされた日には、宿題をとっとと終わらせて、脳内で翌日のシミュレーションをしまくっていました。今でもそうなのですが、本番になると比較的「カン」が冴えて、しかも運よく協力者が現れて、何となくシミュレーション通りに上手くいくことが多かったように思います。つまり、自分の実力以上のことが、周りの協力のおかげで発揮できることが多かったのですが、当時の私はそんなことに気づくはずもなく、「私、すごーい！　できた、できた」と有頂天になっていました。しかも、元々お調子者な性分なので、そういう気持ちがうっすら態度に出ることもあったのでしょう。その**滲み出る「お山の大将感」**が周りのお友達にウザがられて、たまに仲間外れにされることもありました。この経験から、今でも私の心のど真ん中には「汝《なんじ》、驕《おご》ること勿《なか》れ」という言葉が鎮座しています。

こんな感じで、ちょいちょいウザイ子どもだったのですが、先生からすると「良い子」だったのだと思います。少し皮肉な言い方をすれば都合の良い子。そんな自分をどこかで演じていた部分もあったのかもしれません。でも、演じる窮屈さ以上に、頼られることや喜んでくれることが嬉しかったのです。

華麗なる忖度

頼られたりお願いされたりするとシンプルに嬉しいので、ついつい気分良く「いいよ、やるよ」と言ってしまうのは、良くも悪くも私の癖です。安請け合いが過ぎて、「自分で自分の首を絞めることになるかもしれない」と黄色信号が灯る時もあるのに、やっぱり

「いいよ」って言ってしまう。これは今でも変わりません。良い人でいたいという個人的な願望と共に、「この人、私に断って欲しくないんだろうな」と思ってしまうのです。

そんな私の様子を、最近ある人に「華麗なる忖度」と言われました。「忖度」というと数年前に政治の場面で多用されて、あまり良いイメージがない言葉です。よく分からなかったので、「どういう意味ですか?」と聞いてみると「大美さんは、『あー、これ、誰か拾わないかんけど、誰も拾いたくないよねー』って思ってるようなことを、『あーあ、仕方ないなぁ。とりあえず拾っとくか』って拾うよね。しかも割と楽しそうに。そして、拾わせてしまった周りを嫌な気持ちにさせない。その上、拾ったものをしっかり活かしてくる。そんな感じ。自覚ないやろ?」と言われました。自覚のあるなしで言えば全くないのですが、言われてみれば……と思い当たる節はいくつかあります。

例えば、地域でワークショップが開かれたりすると、初めは何となくお互いに様子を見るような、そんな雰囲気になることがあります。そこでの私の役割は、**めいっぱい楽しそうに40過ぎのおばさんがキャッキャとはしゃぎながら一番に発言すること**です。特に立派な意見でなくても、とりあえず第一声を発する人になります。すると、不思議なことに、周りの参加者も次々に意見を出してくる。こんなことは良くあります。別に誰に頼まれている訳でもないのですが、何となく空気を察して、一番に発言するというポジションを自ら拾う。確かに忖度かも。

勉強がつまらなくなっていく

中学生になると少しずつ勉強も難しくなって、なんとなく上手くいかないことが増えました。それでも高校は地元の進学校に進学したのですが、難関私立や難関国公立を当たり前に目指す学校だったので、授業はトップランナーを基準に進んでいきます。入学して半年で、すっかり落ちこぼれていました。見た目が可愛くなくても、運動ができなくても「お勉強がそこそこできる」というのが私の強みだったはずなのに、それがいとも簡単に足元からガラガラと崩れていったのです。そこには、かつて毎年学級委員に選ばれて、根拠のない自信に気分を良くしていた頃の私の姿はありませんでした。

それでも、学校は大好きでした。それこそ、授業中はコソコソ漫画を読んだり、教室の後ろの方で耳にイヤホンを入れてラジオを聞いたりしていて、授業は全く聞いていません。気の合う友達がたくさんいたので、友達とお喋りするために毎日登校していました。校則は緩かったので、パーマをかけたり髪を染めたり。ピアスも学校の休み時間に開けました。足元は当時の女子高生の代名詞、ルーズソックスです。学校が終われば、友達と連れ立って目的なくアーケード街（高松市の中央商店街のアーケードは日本一の長さです）を闊歩し、懐が暖かい時にはカラオケＢＯＸで日が暮れるまで喋って歌っていました。

そんな友達も、高校３年生になるとどんどん受験モードに入って行ったのですが、私はすっかり勉強嫌いになっていたので、「もうこれ以上勉強したくないな」という気持ちでいっぱいでした。それでも「進学せよ」という無言のプレッシャーに、センター試験を記念受験し、僅かに興味のあった東京の服飾関係の学校に一旦は進学したのですが、それも３ヶ月で辞めてしまいました。

お世話焼きな性格が、仕事で全力発揮

マクドナルドでアルバイトを始めたのは、高校3年の2月でした。当時の私は、4月からの進路を早々に推薦入試で確定させて、気楽な気持ちでセンター試験を記念受験し、いよいよ時間を持て余していました。**「こりゃバイトだな」「バイトといえばマックだな」**と

いう超短絡的思考によって飛び込んだのが、マクドナルドのアルバイトです。校則なんてあって無いような学校でしたが、アルバイトだけは禁止でした。アルバイトをすることで生じるリスクは当然分かっていましたが、そんな事より、3月まで必死に受験勉強をしている友達の姿を横目で見ながら、自分の居場所のなさに焦る気持ちの方が勝っていたのかもしれません。

超短絡的思考で飛び込んだマクドナルドのアルバイトですが、どうやら性に合っていたようでハマりまくりました。幼い頃からすっかり醸成されまくっていたお世話焼きな性格が、接客業に向いていたのでしょう。私が働いていた頃のマクドナルドは、尋常でないほど忙しく、土日にはお店の倉庫が空っぽになる程売れていました。それこそ毎日がお祭り騒ぎで、スマイルを0円で叩き売っていました。

そんな忙しい店舗を支えているのは、今も昔も変わらず、数名の正社員と数十名のクルーと呼ばれるアルバイト店員です。高校生から大学生くらいの同年代のクルーが多く、仕事もプライベートもごちゃ混ぜで、1日の大半をバイト仲間と過ごす日々でした。高校の部活の延長のような気分で働いて、その上賃金までもらえる。思い返せば徹底的に甘えた考えですが、なんせ黙っていても売り上げが伸びている時期だったので、私のようなクルーは随分重宝されました。気がつけば、**店舗を支える立派なフリーター**になっていました。

クルーは一定の基準を超えると、店舗の運営を任されるスウィングマネージャーに抜擢されるのですが、私はアルバイト開始から半年で、このスウィングマネージャーになりました。スウィングマネージャーになると、職務の幅が広がり一部権限委譲もされます。私の主な仕事は、サービスクルーの育成とピーク時のフロアコントロールでした。これがとにかく楽しかったのです。自分が育成に関わったクルーが、お客様からお礼を言われるたびに嬉しかったですし、ちょっとしたフロア配置の工夫で前週より売り上げが伸びた週末は、本当に清々しい気持ちでした。やったらやった分だけ成果が分かるこの仕事は、高校生活ですっかり自信を失っていた私に、もう一度やる気を与えてくれました。

結婚、出産、そして離婚

23歳の時、マクドナルドで一緒に働いていた6歳年上の男性と結婚します。その後、24歳で出産。それを機会に、大好きだったマクドナルドのアルバイトを一旦辞めます。これもまたどうでもいい話ですが、母が私を産んだのが24歳の時、私が息子を産んだのも24歳の時です。幼い頃からなんとなく「私もお母さんが私を産んだ歳には、きっとお母さんになるんだ」と思っていました。その頃から私の夢は「お母さんになること」でした。その一番の夢が叶ったのです。この本を書くにあたって、当時のことを色々と思い出そうとしたのですが、この頃のことだけがあまり思い出せません。妊娠、結婚、出産というビッグイベント続きに、日々必死だったのでしょうか。もしくは、このあと数年の後にやってくる離婚という更なるビッグイベントのせいで、記憶が曖昧なのでしょうか。

ただ一つ、間違いなく言えることは、息子を産んだことに微塵の後悔もありませんし、彼の母親になれて、私の人生は最大級に豊かなものになりました。

親権のため、生活のための仕事

2007年、27歳の時、離婚を機に再び働き始めました。当時息子は3歳になったばかりでした。息子との生活を守るために選んだ職場はドコモインフォメーションセンター。いわゆる**コールセンターのスタッフ**として派遣で働き始めました。勤務はシフト制でしたが、受付時間や繁忙時期がはっきりしていたので急な残業も少なく、職場環境としては快適な方だったと思います。（当時は色々と不満もありましたが）女性が多い職場だったこともあって、私の状況に理解を示してくれる上司や仲間も多く、あらゆる場面で助けていただきました。

電話応対には大きく分けて2種類あります。営業電話などでこちらから電話をするタイプのアウトバウンドと、かかってくる電話に対応するインバウンドの2種類。私の業務は、総合窓口としてお客様からの多様な問い合わせにインバウンド対応すること。料金プランの相談から、オプションサービスの廃止、時には国際電話サービスについても案内していました。インバウンドの難しいところは、電話に出た時点でお客様から何を聞かれるのか全く分からないこと。しかも、電話で問い合わせてくるお客様は大体時間がなくて急いでいます。そんなお客様の個々の事情に合わせて臨機応変に分かりやすく案内をし、納得して電話を切ってもらう。改めて振り返っても難しい仕事だなと思います。

当時の私は、生活のために必死だったので、少しでも高く評価してもらえるように、一生懸命仕事に向き合いました。どうすればお客様が快適にお得に利用できるのかを考えて、色々と提案をしていました。その提案がお客様に喜ばれることが多く、お礼のお手紙をいただくこともあって、社内報でも何度か紹介してもらったことは数少ない私の自慢話です。

こうなってくると、次に待つのはチームリーダーへのステップアップです。シフトのチームリーダーをしばらく経験した後、すぐに**新人育成担当のインストラクター**になりました。電話応対というのは、見た目よりも遥かにストレス過多な業務のため、新人で採用しても1年後に3割残っていたら御の字。そのため、年間通して採用し続け、ひたすら育成してシフトに乗せ、少しでも長く働けるようにサポートする。実生活で子育てしながら、職場では後輩も育てる。どちらも大切でしたが、どちらかというと仕事にのめり込んでいたように思います。「仕事だから」と理由をつけて、幼稚園の行事ごとも随分サボりました。いいえ、本当に忙しくて行けないことがほとんどだったのですが、会社以外の人との付き合いが煩わしいと感じていたことも事実です。

おーみがうつになりまして

ドコモのインストラクターになって3年目のある朝のこと。仕事に行こうとして布団から起きあがろうとするのに、体が鉛のように重く、全く動けなくなってしまいました。例えるなら、携帯電話の充電が切れてしまって、振っても触っても何も反応しない。そんな感じでした。数日後に「うつ病」と診断されます。当時、堺雅人さんと宮崎あおいさんが主演の「ツレがうつになりまして。」という映画が公開されていて、**「まさに、おーみがうつになりまして、だわ。これ」**と、後に笑い話のネタになりました。

そこから数ヶ月間出社できず、ただただ家で横になる日々が続きました。インストラクターとして任されていた仕事も多くあった分、かなり迷惑をかけました。一番迷惑をかけたのは直属の女性課長です。課長は普段から私の仕事ぶりに対して、「大美は人が好きでそれがインストラクターとしての資質に繋がっている。ただ、人と深く関わりすぎるあまり、相手と適切な線引きができない時がある」ことを警告していました。結果的に、課長の警告に耳を傾けず、まんまと予想通りになってしまったのに、課長が一番気にかけてくださいました。

その後、なんとか復職を果たします。復職のきっかけは、小学校1年生になっていた息子の一言でした。ある日息子に言いました。「お母さん、もう仕事辞めてハルキとずっと一緒にいようと思うんだけど、どう？　そしたら今よりいっぱい遊べるよ」と。その提案に彼は喜ぶだろうと思っていたのですが、予想外の反応が返って来ました。「え、それは困るよ。ハルキは学校に行くのが仕事やけど、お母さんはお仕事に行くのが仕事でしょ？お仕事行こうよ。それにハルキは学校あるけん、そんなには遊べんよ」と。この一言を聞いた時に、肩の力が……というか、全身の力が抜けました。と同時に、涙が溢れました。私の時間が止まりかけていた間にも、子どもの時間は止まってくれないことを突きつけられたのです。「そうだね、お母さん仕事行くわ」と涙ながらに伝え、彼は短く「うん」と答えました。

こうして、復職したのですが、当然のことながら以前のようにフルパワーで働くことはできず、もやもやとした気持ちを抱え、体力も自信も失っていました。

雇われて働くということ

正体のわからない、もやもやした気持ちのまま働いていましたが、その終わりは意外な形で訪れます。私が勤務していたコールセンターの閉鎖が決まったのです。私が働いていたセンターは他のセンターと比べて、応対品質の評価も高かったのですが、様々な事情が重なり合って閉鎖されることになりました。時を同じくして、「有期雇用は5年を目処に無期雇用に変更する」という労働に関する法改正があり、契約社員だった私は、「契約満了で退社するか、正社員にトライするか」という選択を迫られました。仮に正社員になっても、私が大好きな電話の総合受付窓口はもうありません。それ以前に、途中でうつ病を患って、長期病休を取った私が正社員として採用される可能性は限りなく薄かったと思います。そこで**「とりあえず一旦雇われる働き方から離れてみるか」**とふと思ったのです。

どんな仕事も急に無くなることがある。それは企業の規模には関係なく突然現実としてやってくる。それがこの件に関して私が感じたことです。ただし、当時の私には特筆すべき特技もスキルも資格もありませんでした（まぁこれは今も同じですが）。なのに、「雇われることからいったん離れる」ということだけを先に決めてしまったので、そこからは大変でした。でも、不思議と「まぁ、上手くいかんかったらまたどこかで雇ってもらったらいいいわ。ドコモという会社か電話受付という職種、どっちかが世の中にあるうちは何とかなるわ」と、根拠のない自信だけはあったのです。これがセンターの閉鎖まで残り10ヶ月という頃でした。

アテのない探索

これと言った目的も次のアテもなく、「会社を辞める」ことを早々に決め込んだ私は、自分の時間を使って巷《ちまた》の講座や勉強会に自ら足を運ぶようになりました。自分に何ができるのか、何を始めればお金を稼ぐことができるのか？　を必死で探していたのでしょう。それまで、会社以外の人との付き合いは煩わしいと思い、息子の小学校のお母さんたちとの付き合いですら避けていたのに、1人で思いつくまま色んな場所に出かけては、たまたま居合わせた見ず知らずの人とお喋りをしました。知らないことばかりで「へぇー、そうなんですか」くらいしか、打てる相槌がありませんでした。それでも、休みの日の冒険を辞めようとは思わず、時間があればフラフラと出かけて、色んな人と話をして、それまで知らなかった世界に少しずつ足を踏み入れていきました。やや大袈裟に言うならば、人生の道幅が広がり始めたのだと思います。

「これまで会社という枠組みの中で、なんとなく色んなことを分かった気になって生きていた。こんなに自分が知らないことが多いということを知った」そんな気持ちでいっぱいでした。哲学的に言うならば、「無知の知」と言ったところでしょうか。後に、友人から「それって、20歳くらいの大学生が思うことだからね、普通」と笑われます。幼い頃から色んなことに忖度をし続けてきた私が、初めて自分の人生を主体的に捉え始めたのはこの頃なのかもしれません。退職まで残り半年。年齢は34歳になっていました。

偶然出会ってしまった地域づくりチャレンジ塾

そんな日々を送っていた時に、職場の先輩が1枚のチラシを私に見せてくれました。そのチラシこそが **「第1期地域づくりチャレンジ塾塾生募集！」** のチラシでした。その先輩もまた、お世話好きな先輩で、どこからか「大美は仕事を辞めて、次は就職しないつもりらしい」と聞きつけ、「これいいんじゃないか？」と教えてくれたのでした。チラシを見て、初めはあまり興味をそそられなかった事を覚えています。当時の私は「地域づくり」なんて言葉とは全く縁のない世界で生きていましたし、むしろなんとなく「地域」という言葉に、煩わしさや面倒臭さを感じていました。なぜ受講することにしたのか。単純に受講料が激安だったからです。

その頃私が受講していた各種講座や交流会の参加費は、2時間で4，000円〜8，00

0円くらいが相場でした。それでも十分元はとっているると思っていたし、渋々支払って参加した講座は一つもありません。そこへ来て地域づくりチャレンジ塾（通称：地チャレ）の受講料は、毎回4時間の講座が全6回分でたった5，000円！　1回が5，000円ではなく、6回分で合計5，000円です。しかも、チラシの対象者の欄には「起業したい人」なんて記載まであります。逆に安すぎて「大丈夫かな？」という気持ちもありましたが、必死で「何か」を探していた私は咄嗟に飛びついたわけです。

もう一つ、受講を決めたのは、紹介してくれたのが信頼のおける先輩だったからです。今思えば、これは大きな決め手でした。この先輩、藤井節子さんについては、おのさんがP97で紹介しています。あの時、チラシを渡してくれたのが節子さんじゃなかったら……もしかしたら受講していなかったかもしれません。

こうして、まずは地チャレのプレセミナーに参加することにしました。プレセミナーは高松港からフェリーで1時間ほどの小豆島という島で開催され、一緒に受講することを決めた節子さんと向かいました。フェリーには一般のお客様もたくさん乗船していたので、誰が同じ目的地に向かう人なのか全く分かりません。ふと思い返すと、地チャレは初めからどこか無茶苦茶というか、当たり前が通用しない雰囲気がありました。だってそうで

ことでん（高松市のローカル鉄道）車内で行われた地域チャレンジ塾発表会（中央・大美、左・尾野）

しょう？　本講座は高松市内で開催するのに、プレセミナーでわざわざ海を渡って島に行かされる。それを疑問に思わず、言われるがまま島に渡る私たち。運営側も参加者もどこかクレイジーだったと思います。

フェリーを降りて会場に着くと、そこにはTシャツ短パンの、どこから見ても「講師」や「先生」というイメージからは程遠い男性が前に2人座って、何やら楽しそうに笑っていました。なんだかよく分からないけど、その2人を見た時に、楽しいことが始まりそうな予感はしました。そして、この地チャレでの出会いの数々が、後に私の人生を120度くらいひっくり返すきっかけとなるのです。

第２章　中村香菜子

リーダーしかできない主婦の生きる道

～ぬくぬくママSUN，Sができるまで～

たまに人から「変わってるね」と言われます。個人的にはみんなとそんなに変わらない普通の主婦だと思いますが、やはり、みんなとちょっと違う部分はあるのかなと自認もあります。「変わってるね」と言われると、基本的にはうれしいのですが、みんなと同じでないことを少し寂しく思う気持ちもあります。私はその瞬間瞬間で、自分が一番生きやすい方法を探ってこれまで生きてきました。学歴も仕事のキャリアも一切ない私にあるのは、自分の野生とも言える「感覚」と、自身の「人生キャリア」のみです。

自己紹介をする時、**「私、リーダーしかできないんです」**ということがあります。そう言うとたいていの人がそれはすごいと言ってくれるのですが、それは私のコンプレックスでもあります。組織の一員として生きていけたらどれだけいいだろうと、違う立場の人をうらやましいと思うことが多々あります。

ですが、自分は自分。誰かにはなれません。今は自分のために自己を追求することが、結局は誰かのためになり、自分と周りの人の幸せへの近道のような気がしています。この章では私の幼少期のエピソードや、ぬくぬくママSUN，Sができるまでのお話を紹介させていただこうと思います。

自己活動をしなさい

小さい時、母に遊んでほしくて、「ねーねー遊ぼう」と母に甘えると、母は決まってこう言っていました。

「お母さんは自己活動で忙しいから今は遊べないわ。あなたも自分一人の自己活動を見つけなさい、なんだっていいのよ。人間は一人で生まれてきたのだから自分自身を研鑽する時間を一人で持てなきゃだめよ。」

このエピソードを誰かに話すとすごく珍しがられます。

「そうやって育てたらナカムラカナコができるんだね〜」

と、言われたりもします。母は、遊んでくれることももちろんありましたし、さまざまなお母さんらしいお世話もしてくれましたが、いつも「私はお母さんではなく私よ」と言い、誰かに依存するのではなく、きちんと自分のアイデンティティを持って生きなさいと私に伝えてくれていました。だからでしょうか。私は「母らしく」「親らしく」という前に「自分らしく」生きることがなによりも大切だと感じているところがあります。

ぬくぬくママSUN，Sのキャッチコピーのひとつに**「子育て中も自分らしく」**という言葉があります。「自分らしく生きる」。近年はよく言われるようになった言葉ですが、簡単なようで、誰もが見つけられているものではないと思います。子育て中の母親たちは、母である自分、妻である自分、その他たくさんの組織に属している自分に精一杯で忙しくしている人が多いです。しかし、さまざまな立場を持ち忙しいからこそ、素の「自分」と向き合う作業はめんどうでも面白く、さらに自分を進化させてくれるものとなります。その作業は一人でできるものではありません。ぬくぬくママSUN，Sの仲間と共に活動する中で、自分の好きなことや、得意なこと、どのような価値軸で生きているかということに改めて気づくことができるのです。私は今でも、自分のアイデンティティはどこにあるのだろう、と日々考え探し続けています。

当たり前を壊しちゃえ

どちらかといえば私は、与えられた道を進むより、自分で考えて新しい道を切り開いていく方が好きなタイプなのかなと思っています。

小学校4年生の時の学級会の思い出深いエピソードがあります。担任の先生は30歳の女性、いつも子供たちの意見に耳を傾けてくださる方でした。

「運動会の学級対抗リレーの選抜メンバーは、どうやって決めようか」

先生がこの言葉を投げかけてくれたとき、教室がざわついたのを覚えています。選抜メンバーの選び方は「50メートル走のタイム順」だと決まっているわけでないことに、クラスみんながその時初めて気づき、自分の頭で考えたのです。そして、さまざまな意見が出ました。

「1学期にはかった記録で速い順にしよう」

「はかり直した方がいいんじゃない?」

「はかり直したら出たくない人がわざとゆっくり走るかも?」

「どうせ毎年同じ人が出るよね」

「それなら希望者が出たら?」

先生自身も、このような展開になるとは思っていなかったようです。

私は、体育が大の苦手。いつも徒競走はビリでした。学級対抗リレーは自分と関係のない世界の出来事で何の興味なかったのですが、みんなの意見が私の中の何かに火をつけました。

「勝ちたいというのもわかるけど、こんなふうに学級会を開いて決められる今年は、出たことがない私には貴重なチャンス。ぜひリレーに出たいです！」

私はそう発言しました。先生が、反論はないか全体に声をかけると、自信なさそうに、

「やっぱり、勝ちたいし、速い子から出たほうがいいと思います。」

と、普段から足の速い男の子が言ったのを覚えています。

議論は当たり前や常識の範囲を超えて続きました。そして最終的には、私と数人のタイムの遅い子を含む希望者が、その年の学級対抗リレーに出場したのでした。リレーの結果がどうだったかは覚えていません。ただ、「自分たちの意見で、何かを変えることができるんだ！」ということを私はその時学びました。

「昨年もこうだったから」「こうするのが普通だから」「みんながこう言っているから」という思い込みや固定概念で物事が決まっていくことは、日常的によくあることなのではないかと思います。できれば、一人一人がちゃんと考えて意見を出し合いたい、新しい斬新なアイデアも考えてみたい。そして、どちらかが我慢したり不満に思ったりする答えではなく、違う意見の人たちがとことん話し合い、それぞれが納得できる新しい**「納得解」を出す道**を探っていきたいと思います。

我が子だからこそ難しい

「絶対保育士を一生の仕事にする！」と、意気込んで20歳で始めた保育士。乳幼児の中でも私は0、1、2才の乳児が大好きです。おむつを替えたり、ミルク授乳をしたり、食事を食べさせたり、歌の時間にはピアノを弾きながら私が楽しく歌い踊ったりする姿を子供たちが見つめ、喜んでくれました。無垢な瞳、自分を頼って抱きついてきてくれるやわらかな肌の感触。こどもたちの鼻水が服についてもまったく気にならない。私にとって、保育の仕事は一瞬一瞬が楽しく充実した時間でした。

ただ、保育士としてどんなに関係性を築いても、ママが迎えに来るとさっと私の手から離れ、子供は一目散にママの元へ。「ママってやっぱりすごいな～」このころからそんな風に思っていました。他人の子供でこんなにかわいいのなら、きっと自分の子供はこの何百倍かわいく感じるのだろう。そう思い、とにかく早く結婚してとにかく早く子供産んで母親になることが私の夢でした。

そうして就職して2年目の22歳で結婚。長女が生まれたのは平成18年2月、24歳の時でした。産まれるまでは、育児書を読みふける日々。勉強して、その通りにやりさえすれば、子どもはうまく育つ。私は保育士だから、きっと母親としても高得点をとれるはず。そんな自信と理想を当たり前のように抱いていました。しかし、すぐにそれがはかない幻想だったことに気づくのです。

産後すぐの夜中の授乳は、毎日赤ちゃんと一緒に声をあげて泣きました。まだまだおっぱいをうまく吸えない娘にまずは乳首を含ませ、その後、自分でおっぱいを絞り、それを哺乳瓶に入れてまた飲ませるのです。そしてさらに足りない分のミルクづくり。おむつ替えも含めたすべての作業には1時間ほどかかり、それが夜の間に3回ほど繰り返されるので、ほとんど寝る時間はありませんでした。

当然、私の生活は一変。とにかく娘に翻弄される毎日です。夜中に泣き叫ぶ我が子の顔を見つめながら、「かわいい」と思うより、「あなたは誰？　どうしたらいいの」という想い、つらさしかこみ上げてきませんでした。**「保育園の子供はあんなにかわいかったのに、なんで」**と思い、「どうすればうまくいくのだろう」そんなことばかり考えていたように思います。

仕事も育児もがんばりたいけど……

授乳や生活リズムが整いだし、赤ちゃんとの暮らしに慣れてきたころ、娘を勤め先の保育園に預け職場復帰しました。娘が9か月の時です。昔から、女性も男性と同じように経済を支え、自立した社会人でいることが大切だと思っていた私にとって、「母になっても変わらずに働いていく」ということは、当然の予定でした。

そんな気持ちとは裏腹に、私の心と体は娘のペースにどっぷりつかっていました。やっと、母乳だけでスムーズに授乳できるようになってきたころ、ミルクを一切受け付けない娘が保育園でちゃんと過ごせるのかは大きな心配の種。入園前に嫌がる娘に無理やり粉ミルクの練習をさせたことは、本当につらい思い出として残っています。

生活リズムも大きく変わりました。保育士勤務の早出は7時。まだ暗い6時過ぎに伝い歩きをし始めた娘をチャイルドシートに乗せ、出勤。居残り保育の当番や、行事の前の残業、毎日の保育園の用意に加え、洗濯や食事作りに追われる毎日で気がつくと、娘と落ちついてふれあえる時間は、お風呂に入って湯船で遊ぶ10分程度しかありませんでした。

また、1才だった娘はしょっちゅう熱をだし、風邪をこじらせて入院することも度々ありました。熱がでるたびに職場を休み迷惑をかけている心苦しさ、娘との時間のなさ、私は追い詰められていました。とうとう夫や両親に「もう、保育園、やめようかな……」と話すと、私のその言葉を待っていたようにすぐに全員が賛成。それほど私が育児をしながらフルタイムの仕事をすることは、家族にとっても大変なことだったのです。

名前のなくなった私

平成20年4月、私は保育園を退職して専業主婦になりました。平日は2才になった娘と2人で過ごす日々。平穏な日常の始まりかと思いきや、家での子育てではまた違う大変さが待っていました。

保育園に行っているよりも充実した生活を送らせなければならないと思った私は、園のように「デイリープログラム」を組みました。

何をするにも娘が一番。保育園でさみしい思いをさせてしまったことを後悔している気持ちもあり、自分のことはとにかく後回し。朝は必ず同じ時間に起こし、歌を歌い、絵本を読み、お昼は必ず同じ時間におひるね。毎日のメイン活動としては、家の近くの公園、近所の子育て支援センターなど、娘を様々な場所へ連れていきました。

支援センターの先生がしてくれる絵本の読み聞かせやふれあいあそびを見るたびに、「私だったらこうするのに……私も先生のようにやりたい！」という気持ちばかりがむくむくと湧き上がりました。しかし私が得意の歌や工作、絵本の読み聞かせを披露できる場はなく、娘一人を相手に、家でさみしく2人保育園ごっこをするのがやっと。また、娘はとても少食な子だったので「ごはんを食べてくれない」ことが私の最大の悩みでした。そこで、高松市中の相談機関を調べぬき、ほとんどの相談機関にその悩みを相談しにいきました。さまざまな高松市の子育て支援サービスを使った1年でしたが、どの支援サービスも満足いくものではありませんでした。今思えば、誰かに「私の話」を聞いてほしかったのです。しかしどのサービスも「おかあさんの私」への指導。さまざまな子育てのやり方を教えていただき試してみてもうまくいかず、いつも気持ちは満たされませんでした。

そんな生活を続けて平成21年2月に息子が誕生。4月から娘は近所の公立幼稚園へ通い始め14時前にはお迎えという毎日が始まりました。仕事と育児の両立が大変だから一時的にやめたはずの仕事。専業主婦でずっといるつもりではないのに、どうすることもできない現状。**気がつけば私の周りに私のことを名前で呼んでくれる人は誰もいなくなりました。**

「のんちゃんのママ」と娘の名前でしか呼ばれる場所がなくなってしまったのです。

ある朝幼稚園へ娘を送った後、夫と4人で暮らす2LDKのアパートの部屋に帰るなり私は床に膝をつき、大声で泣いていました。リビングには、片付けのできていない食卓、散らかったおもちゃ、たまった洗濯物……胸の中では2か月になったばかりの長男が泣きじゃくっている。私ってなんなんだろう、これからどうしたらいいんだろう……。思えば思うほど涙がどんどんこぼれ落ちてきました。平成21年、私は27才。ちょうど、夢だった保育士の仕事を辞めて1年がたっていました。

自分のことも子供のことも大切にしたい

そんなとき、出会ったのが近所の子育て支援センターで開催された「ノーバディズパーフェクトプログラム（NP）完璧な親なんていない」というカナダ生まれの親支援講座です。これは、子育てのプロから何かを学ぶというものではなく、母親同士が話し合いながら、自分なりの答えを見つけていくという講座でした。どの相談機関にいっても満足のいく答えの出なかった私は、すぐにその講座に申し込みました。

その講座では、参加者同士は呼ばれたい呼び方で呼び合います。私は「かなちゃん」と呼ばれるようになりました。久しぶりに自分の名前、それも下の名前で親しみを込めてよばれ、安心して子育ての悩みを話せる場。やっと自分の居場所を得たようなそんな気持ちになりました。

その後すぐに、支援センターの心理士さんのすすめもあり、「タッチケア」の講師養成講座を受講しました。この講座で、子育て中のママ向けのふれあい講座を開催するノウハウを学びました。広島での開催、受講するにはまだ幼い子供たちへの負担もあるかと心配になりましたが、家族の協力も得ることができ、「自分のことを大切にする親のほうが子供のことも大切にできる」というNPで教わった言葉に勇気づけられ、無事受講することができました。この時から、私は子育てをしながら、就職せずに自分らしく生きることを始めたのです。

「自分のことも子供のことも大切にしながら子育てしたい」

今でもぬくぬくママSUN，Sのモットーにしている大事な魂です。

活動のはじまり

2011年、私は早速その頃建てたばかりの自宅を使って、小さな会を開き始めました。月に2回ほどだったと思います。季節の童謡、簡単に親子でできる工作、赤ちゃんの肌にやさしく歌いながら触れるタッチケア、会の終わりには簡単な手作りおやつを出し、ママ同士が交流できる場です。いつも隣には1才になったころの長男。講座の時は赤ちゃんモデルにして一緒にふれあいの時間を楽しみ、ぐずったときにはおっぱいをくわえさせたまま、ママたちに語りかけ、会をすすめました。

はじめは、自分が子育て支援センターなどで知り合ったママ友たちを誘いました。当時SNSが少しずつ始まりだした頃で「mixi（ミクシィ）」がママたちの間でも流行。そのコミュニティページなどを工夫し、ネットワーク作りもしました。

情報収集する中で、さまざまな取り組みをしているママたちに出会いました。ハンドメイド雑貨を販売している人、毎週決まった時間に同じメンバーで集まり子連れランチ会をしているグループ、金管バンドやフラダンスグループを作り、幼稚園や福祉施設に慰問に通っているママたちもいました。

そんな時「ナースアウト」というイベントに出会いました。Ｎｕｒｓｅは英語で「授乳する」、Ｏｕｔは「外で」という意味です。すなわち、家から出てみんなで集まっておっぱいをあげようというイベントです。

母乳育児中のお母さんが集まって同時におっぱいをあげることで、自分の母乳で子どもを育てることの重要性を社会にアピールすることを目的としていました。母乳育児への感覚は、人によって感覚が大きく違うもの。母親にとって、かなりデリケートな問題です。

このイベントはやっと、長女の授乳が順調になってきた時に、仕事復帰のために無理やり断乳しなければならなかった私の苦い体験にヒットしていました。今は、「母乳神話」のほうが強くなってしまい、反対に「母乳でないといけない」という論調に苦しんでいるママもいると思いますが、このころはまだまだ1才で母乳をやめたほうがいい、ミルクのほうが栄養がある、など昔ながらの情報を一方的に押し付けられ苦しんでいるママがたくさんいました。〇〇でないといけない、ではなく、母親になれた歓びをもっと大切に楽しもう、というような価値観を訴えるようなイベントだったように思います。

イベントの趣旨に感銘を受けた私は自分も主催者をやってみようという気持ちになり、仲間を集め始めました。一人一人に自分がイベントを開催したい想いを語り、その人は何ができるか、何なら協力してもらえるかを聞いて回りました。

会場でのピアノ演奏、親子でできる遊び歌、おそろいのTシャツの準備、おみやげのおやつを手配……私を含め5人のママたちで準備することになりました。

2011年8月8日、28組の母子が集まり初めてのイベント「ナースアウトin高松西」を開催。事前に告知しておくと、新聞やニュースにも取り上げていただくことができ、私は充実感でいっぱいでした。

一人一人の力は小さいけれど、普通のママたちの力でこんなにすごいことができた。もっとやりたい。そんな気持ちが私の中に膨らんでいったのです。

ママの私だけじゃいや! 子育て支援の仕事を目指したい!

数十人の親子を集めてイベントをするノウハウを徐々につかんできた私は、自分たち独自でイベントを開催するようになっていました。夏と冬に1回ずつ、近くの貸しスタジオを利用し、親子コンサートを開くのです。その都度、仲間を集め、役割を決め、子連れで楽しみながら活動をしていました。このコンサートを開催するママのグループを**「ぬくぬ**

くママSUN《さん》’S《ず》」とネーミング。ママも子供も、ここではぬくぬくと大切にされる場、そしてママが太陽のように輝ける場、そんな意味を込めました。2011年のことです。

自宅での親子ふれあい講座も続けていました。地域の保育園やコミュニティセンターからも声がかかり、時々施設に出向いて講師をする機会も増加。次第に私の中にこの活動を「子育て支援」の仕事にしていけたらいいなという気持ちが芽生えていました。保育士の経験を経て、子育てをしている私だからできる仕事があるのではないかと思ったのです。

その頃高松でも「子育て広場」という乳幼児親子の居場所が行政の取り組みの一環として、どんどん創られていました。運営は地域の保育園や民間のNPO法人など。私たちより10～15年早く子育てを始めたママさんたちのグループによる運営もありました。心のどこかで私たちのグループもそうなれたらいいなという気持ちを抱いていました。2012年に3人目を身ごもり出産したときも、活動はほとんど休むことなく続けました。

みんなで子育て広場を視察に行こう、今度はこんなことをしてみよう、次々と私は仲間に提案し、それを実行しながら日々を過ごしていました。

小学1年生になった娘、幼稚園生の長男、そして産まれたばかりの3人目をおんぶしながらがむしゃらに活動を続けていた私。目の前のことで精一杯の日々でした。そんなある

2011年子連れで子育て講座をする香菜子（右上）

時、信頼していた仲間たちが一人、また一人と仕事に復帰するので活動をやめたい、と伝えてきたのです。また、私と方向性が違うと感じ離れていった人もいたように思います。「みんな一緒に子育て支援の団体を作っていく」という幻想は、私の中で思いこんでいたことに過ぎなかったのです。私はまた、勝手にひとり深く落ち込んでしまいました。

ぬくぬくママSUN'S年表（1）

2010年	約10人の母親たちで母乳育児イベント「ナースアウト」開催、約120世帯参加 少人数の母親が集う「タッチケア教室」開催開始 初のクリスマスコンサート開催（約90世帯参加） 10世帯ほどの母親が参加できる「タッチケア教室」を月に2回ほど開催する（年間150世帯ほどが参加）
2011年	地域の施設を利用して「タッチケア教室」や「親子ふれあい遊び教室」を実施 夏と冬に親子コンサート、授乳イベント実施（年間延べ500世帯参加）
2012年	幼稚園バザーでのフリーマーケット参加（手作り品販売） 地域の施設を利用して「タッチケア教室」や「親子ふれあい遊び教室」を実施 夏と冬に親子コンサート、授乳イベント実施（年間延べ500世帯参加）
2013年	フリーマーケットに参加（手作り品、リサイクル子供服販売） 英語遊び、食育講座開始
2014年	NPO法人子育てネットひまわり主催　子育てフェスタに参加 それまで不定期だった活動が、月2回定期的に開催されるようになる
2015年	高齢者施設での交流を開始 YOUTUBEでイベントの様子を動画配信開始

できるひとができることをすればいい

「こんなに人が離れていったんじゃ、もう無理だよ。ぬくぬくママSUN'Sはもうやめよう。」私がひどく落ち込んでこう話した時、**「私はやめたくない」**と、強く言ってくれたのが当時法人の副代表を務めていたまいこちゃんこと、長尾舞子でした。長男の幼稚園で知り合い、二人目妊娠中の半年ほど前から活動に関わるようになってくれた彼女。私と同じように子育てを優先するために仕事を辞めた元保育士でした。誰も一緒に子育て支援に取り組んでいこうなんて思ってくれない。孤独感でいっぱいの私は彼女の言葉に勇気づけられ知恵をふりしぼりました。何度も今の活動やこれからの未来を思い浮かべ、紙に書いては消しました。ヒントをくれそうな方がいると迷わずアポをとり訪ねていきました。

その頃から相談によく乗ってくれていたのが、コーチングファシリテーターの谷益美さんや、NPO法人子育てネットひまわりの有澤陽子さんです。深刻そうに「みんなが一緒に考えてくれない」と話す私に、谷さんは

「かなちゃん、かなちゃんみたいに一日中ぬくぬくママSUN'Sのこと考える人なんておらんで、普通。」

と大笑いしながら言ってくれました。既にＮＰＯ法人を立ち上げ、地域の子育て広場を開いていた有澤さんは

「一人一人とリーダーとの関係性はすごく大事。主婦は家庭環境によってもそれぞれ事情が違うから、時々二人きりで話をする時間をとるようにしているよ。」

と、教えてくれました。

そうか、ぬくぬくママＳＵＮ，Ｓのことを生活の真ん中において考えられる人なんてそうそういなくて当たり前、すべてを同じように求める必要はないと、その時私は気づきました。それでも、この団体に関わりたいと思ってくれる人がいる、それなら互いの意志を明確化したらいいんだ。私はもう一度前を向きました。そして話し合いを重ねながら、次のような運営方式をつくりあげました。

2015年4月〜始めたぬくぬくママSUN，Sの運営方法
○団体メンバーを半年ごとの入れ替わり制に（AKB方式）
○半期に1回代表との個人面談での確認作業

AKBスタイル活動法

ぬくぬくママSUN，Sは、半年に1度子育てサークルメンバーの入れ替えがあります。現在は4月〜9月、10月〜3月で区切りをつけ、その度に数名がサークルを卒業し、数名が入会してきます。だいたい10〜15名ほどのメンバーが所属しています。これを説明するとき私はいつもAKB方式という言葉を使っています。アイドルのAKB48は、同じ人がいつもセンターで歌いません。どのメンバーも個性があり、各所で活躍しています。そして卒業後はまた女優やタレントとしてそれぞれの道で活躍しています。本当にぬくぬくママSUN，Sの仕組みと似ています。子育てサークルで様々な経験をし、卒業後は社会の様々な場所で、ぬくぬくママSUN，Sの魂を持って活躍している人が大勢います。

今までの卒業生は70名（2021年9月現在）。卒業後もぬくぬくママSUN，Sを応援し、情報をくれる卒業生のみなさんは法人の大切な宝であり、仲間です。

「まずは半年やってみませんか？」という誘い方も加入のハードルを低くしていると思います。「仕事を持っているので本格的には関われないけれど半年だけなら……」と言って始めた育児休暇中の人が結局2年（4期）活動していたというようなこともよくあります。数年活動を続けるメンバーも半年に一度の面談で卒業か継続かの判断を自ら決めてもらっています。自分で考え活動に参画しているという意識を持つことにより、メンバー全員が主体的に活動に参加してくれます。また、特別な事情を除いて、卒業と入会のタイミングを決めていることで、運営側も急にメンバーが減ったり、急に新しい仲間を迎え入れたりすることのストレスを感じることなく活動することができます。

私がママになったばかりのころ、小さな子育てサークルがたくさんありました。しかし、3年ほどたつとそのようなサークルはいつの間にかなくなっていました。乳幼児子育てのくらしはいつまでも同じようには続かないのです。子供の成長と共に、ママの生活スタイルも変化し、子育てサークルをする時間がなくなってしまうのが原因だと気づきました。せっかくできたサークルがなくなってしまうのは本当にもったいないことです。

地域コミュニティなどが主催する長く続いている子育てサークルはリーダーや役員がどんどん世代交代をしていくものもあります。次世代を育てるということはなかなか難しいです。リーダーや役員のなり手不足に困っているサークルも少なくありません。また役員が決まっても、そのたびに同じ問題で悩んだり、またはじめから考えて企画運営をしたりするので、活動に一貫性や、発展性が持てない状態になることもあると思います。

その点、ぬくぬくママSUN，Sは、運営を担う事務局と、子育てサークルが分かれているので、長年事務局スタッフが培ってきた活動のノウハウを使って、新米ママがすぐに活躍する場を提供することができます。

ぬくぬくママSUN，S子育てサークルにはリーダーは特にいません。現在は3つのチームに分かれていてそれぞれが担当を持っています。担当者は段取りをするだけで、どの活動もみんなで取り組みます。社会で働く成人男性の働き方を1人前とすると、乳幼児子育てママは0．3人前くらいの力しかないのかもしれません。急な子供の発熱や、出かけようとしたらウンチが漏れて大惨事なんてこともしょっちゅうあります。だれかに責任を押し付けず、みんなが互いに迷惑をかけながら少しずつ自分のできることをやり、何人かで1人前の仕事をしてしまう、それがぬくぬくママSUN，Sスタイルの活動です。

このやり方でぬくぬくママSUN，Sの運営は一気にうまくいくようになりました。学生時代にファーストフードでバイトした時のことを思い出し、いつ人が変わっても誰がやっても同じようにできる**活動の基本的なマニュアル**も作成しました。同じことをみんながするのではなく、役割を決め、この人にはこれをお願いしたいと個別に頼むようにしま

ぬくぬくママSUN'S組織図

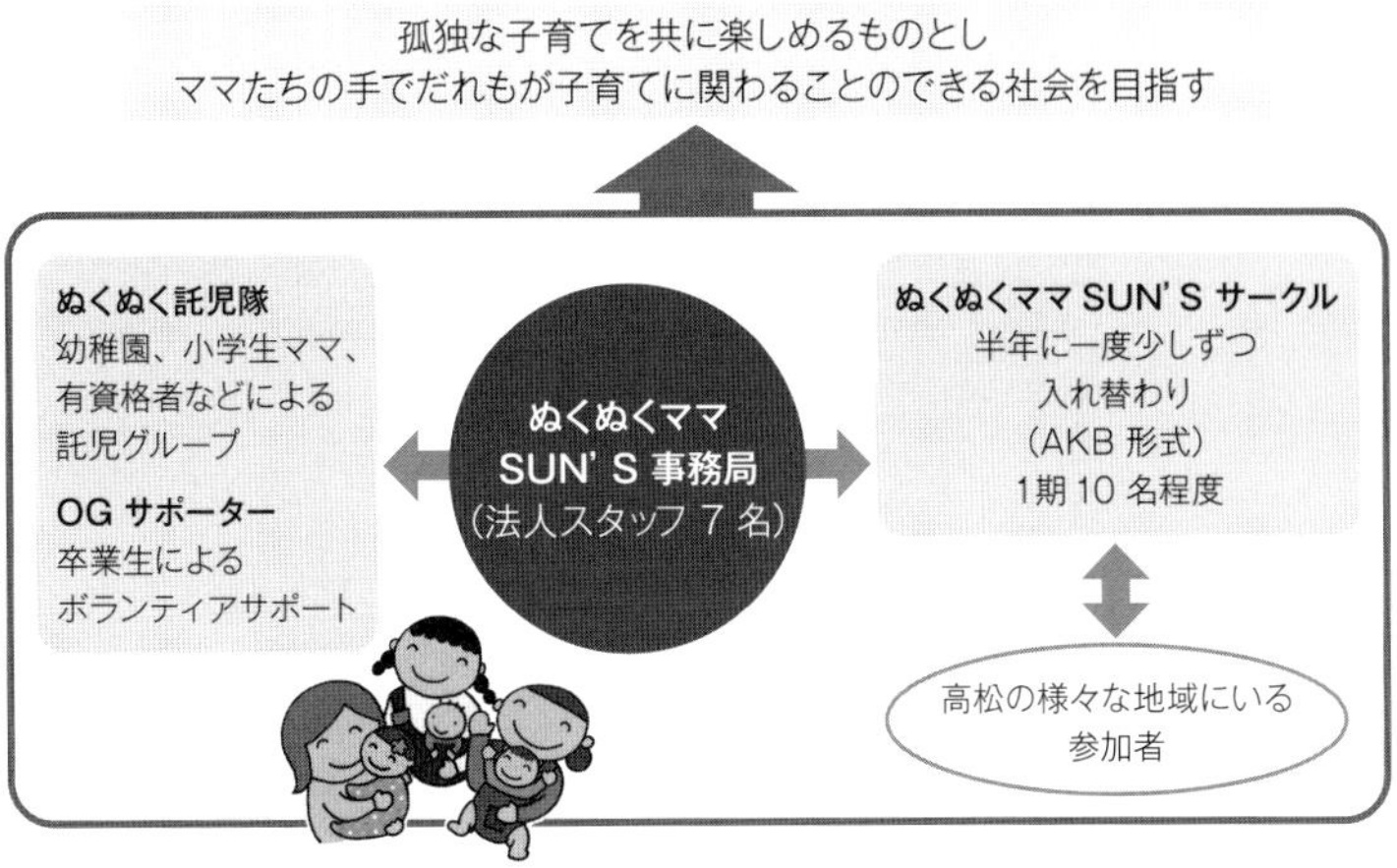

した。歌うのが好きな人は歌えばいい、楽器ができるなら演奏してほしいと伝え、表に立つのが苦手な人には受付やお金の計算を頼み、めいっぱい感謝を伝えました。活動は誰かのための**「ボランティア」ではなく「自分のため」**を強調。子育てだけに没頭するのではなく、子供と一緒にいながらも、自分の好きなこと、できることに目を向け、自分らしさを磨こう、そんな輝くママの姿を子供に見せよう、そんな言葉をいつも伝えていました。

　そうして、一切行政の委託事業や助成金を受けていない私たちのぬくぬくママSUN'Sは、参加費収入のみで子育てイベントや講座を運営し、いつでも満員御礼の子育てイベントができる団体へとなっていきました。

我が子をおんぶしながらハロウィンイベントで親子写真を撮影する
サークルメンバー

クリスマスイベントで多くの子育て親子へ絵本の読み聞かせをする
香菜子

第３章　尾野寛明

旅する古本屋の「週末ヒーロー」に出会う旅

まぁまぁ何でもできる子

まずは私の簡単な幼少期の話から。埼玉県さいたま市生まれ、ファミコン大好き少年。でもずっとやっていると怒られるので、管理の緩い空き地で野球やサッカーなどで遊んでいました。今では全部マンションになってしまいましたが当時は「ドラえもん」に出てくるような町並みでしたね。

小学校の野球チームに入団すると4番でファースト。でもだんだん楽しくなくなっていくのを親に見抜かれて4年生で退団。水泳教室に通えば4年生で1級まで進んでしまい、でも先生が嫌で退会。書道に通えば七段まで取り尽くして準師範の手前くらいまで昇段したと思います。でも普段の字は信じられないくらい汚い。母親はピアノの教師でして、嫌々習わされてそこそこ弾けたと思いますが、投げ出してしまいました。そんな感じでまぁまぁ何でもできる子でしたが、どれも長続きしませんでした。

東京都心の〝新御三家〟などと言われる中高一貫校に入りまして、今では信じられませんが毎日都心まで1時間の電車通学でした。そこでもバスケ部副部長・軽音楽部・ボランティア部・駅前留学英会話スクールを掛け持ちする、何とも多忙な人間でした。**ある程度**

までは器用にこなすがなかなか深くまでのめり込まない「器用貧乏」な性格だったのかなと思います。

とはいえ特にリーダーというわけでもなく、フィクサーといったほうが近いかもしれません。生活指導の先生たちとも学習指導の先生たちともパイプがあるので、大体の根回しや面倒ごとの初期消火役を任されていたような気がします。

とあるやんちゃな同級生がおり、どう考えても高校3年に上がれず留年濃厚だと騒ぎになり、機転を利かせて「生徒会長に立候補しろ」と後見人を努めたことがありました。なり手もいないので無投票当選。さすがに学校側も生徒会長を留年させるわけには行かず無事進級し事なきを得たのですが、茶髪の生徒会長が爆誕する立役者となってしまいました。当時問題となっていたある新興宗教団体の教祖の掛け声「最高ですか！」というのを全校集会の挨拶でぶちまけてしまうような奴でして、私も含めこっぴどく怒られていました。

それでも色々信頼はされていたのだと思います。最終的に卒業式にて「東京都体育優良生徒表彰」を労い代わりだと推薦してもらいました。他の賞の生徒が凛々しい姿で起立する中、私だけ面倒くさそうなのが明らかでこれまた後で怒られるという顛末でした。

広く浅くだが何でも挑戦する、だがリーダーではない、信頼はあるけれどなかなか本気

を出さず、何でも掛け持ちでなかなか理解されない、というのがそのまま今の働き方に繋がっている気がします。

古本屋で学生起業

そんなこんなで一橋大学という一般的にはエリートと言われる大学に入るわけなんですが、受験真っ最中に父親が末期癌で亡くなります。大企業勤めで企業戦士として猛烈に働いてきた父親の変わり果てた姿を見て、変なスイッチが入ってしまったのが大学入学時でした。**絶対に就職しない、大学卒業したら自分の身一つで生計を立てる**と心に決めて、何をするかわからないけれどとりあえず起業すると決めて動き出しました。２００1年のことでした。

そこで目をつけたのが**大学の教科書**。高いから中古で販売したら儲かるのではないかとリサイクル市をはじめました。各地の大学前で警備員に追い回されながら路上で買取販売を行い、多いときに2時間で10万円を記録するまでに。ですが、とある大学で当局に連行されてしまい怒られている間に車までレッカー移動されてしまい、もう続けられないと観念しました。

仕入れてしまった本をどうするかと思案していたときに、当時あまり一般的でなかったネット通販で売ることを思いつきます。ちょうどアマゾンが日本上陸した勢いに乗り、通販専業型古書店として急成長していきました。東京都文京区に本社をおいていましたが、やはり飽きっぽいのでしょうか、猛烈に働くほどでもありませんでした。会社放ったらかしでインドのＩＴ企業にインターンに行ってみたり、「卒論がないから」という理由で入った地域産業研究のゼミに傾倒し、島根県に毎月通う生活を実践したりしていました。

旅する古本屋に

そんな島根県が父親の出身地であったこと、そして、東京の倉庫・事務所の家賃に悩んでいたことから、急に古本屋の本社を島根県へ移転させることを思いつきます。通販専業なので場所も問わないし、地方は空き物件だらけ。町唯一の本屋が撤退してしまった川本町という場所に可能性を感じ、当時1万5千冊あった在庫とともに２００６年に本社丸ごと移転させたのでした。過疎地のデメリットを逆手に取り、家賃は１００分の1に。蔵書は15万冊へ拡大していきました。東京の大学院生が島根へ企業移転させたという珍しさもあり、メディアに続々と取り上げられました。東京と島根をほぼ毎週往復する**「風の人」**などと呼ばれるように。

とはいえ器用貧乏な性格は相変わらずで、大学院生として地域産業研究の顔を持ちつつ、中間支援ＮＰＯを設立して移住支援や地域づくり支援に奔走し、その片手間で古本屋の社長をこなすという掛け持ちぶりでした。２０１３年には**古本と障害者雇用の可能性を追求したい**と島根県雲南市というところに障害者就労支援事業所を新規開設。なんと福祉施設の理事長まで兼務していました。毎週通ってくるとはいえ住んでいるのは東京。不信感も持たれていたと思います。

器用貧乏が本当の貧乏に

そんな状態がいつまでも続くわけもなく、２０１６年には結局グループ全体で年商1億あるものの、借り入れも1億。要は「債務超過」、ほぼレッドカードに近いイエローカード状態です。これはまずいと川本町の本屋再生プロジェクトを断腸の思いで閉鎖。本当に迷惑をかけました。就労支援事業所に本社機能を統合させ、再生を図ることに。赤字状態の改善は見られたものの、最終的に「あなたにはついていけない」と現場の施設長と管理者から辞意を告げられ、新しい管理者を探す気力もなく継続断念。その2名が新しい事業所を設立し、利用者さんも全部そこに移籍してもらうことにしました。

失意のなか、大量の借金と古本の在庫だけが手元に残りました。本は売り続けなければならないし一人で対応できるのも限界があるので、全て値段を3倍にして販売点数を絞ることに。すると、それでも売れる。なんてことはない、過剰な安売りで自ら首を絞めていたのでした。稀少本を扱っているのだから安売りの必要がなかったのです。みるみる収支は改善していきました。

ここまで壮絶な経験をしていると知識と経験で人様のお役に立てることも多く、講師業の収入も増えていきました。2021年時点で借り入れも半分以下まで圧縮されました。

古本の力で赤字の三セクを支援

現在、在庫の半分が島根県奥出雲町に、そしてもう半分が千葉県いすみ市というところ

古本の在庫整理をする尾野

にありまして、2ヶ所で通販型古書店を営んでいます。奥出雲町ではリハビリ専門学校の特任教員として拾ってもらい、地域連携科目の目玉としてソーシャルビジネス（地域課題解決型ビジネス）を教えています。制度に頼らない新しいかたちの地域リハビリ事業を設立するのが教員として私に課せられた課題でもあり、古本の力で事業収入の柱を作れないか模索している最中です。

そして、千葉県いすみ市に新たな拠点が2020年夏にできました。慢性的な赤字状態にある**ローカル鉄道「いすみ鉄道」の新たな収入源として、古本の寄付を募ってみないか**という話になりました。実は近年、古本は「買取より寄付」という流れが起きつつあります。古書店に本を売りに行ったお客さんが、査定額だけ聞いて「代金はいらない」と話すことも多く、もらった買取代金をそのままレジ横にある募金箱に投げ入れる人もいるんですね。関東周辺からいすみ鉄道のために古本の寄付を募り、弊社で買取査定して、その査定額がそのままいすみ鉄道に寄付されるという仕組みをスタートさせました。早速いすみ鉄道への寄付額が月10万円を突破しており、年間３００万円が安定的に寄付される仕組みに持っていきたいと画策中です。

そしてなんと、そのご縁は、２０１８年からいすみ鉄道の公募社長に就任した高松市出身の古竹孝一氏のきっかけでした。古竹氏は、本書で散々取り上げられる**高松市地域づくりチャレンジ塾の実行委員長**を務めておられた方だったのです。

少子高齢化で深刻になる担い手不足

私が高松市をはじめ全国各地を飛び回るようになったきっかけは島根県での衝撃的な出来事でした。少子高齢化の深刻な地域に身を置いていると地域住民が様々な役回りを少ない人数で担っていることがわかります。

伝統行事や消防団、民生委員などさまざまな役があり、それを限られた人達で担っている。多い人になると10役、20役を担っており、特に40～50代の（若くはないけれど）若手と言われる人たちの負担が大きくなって行きます。圧倒的に多い高齢世代に対して、若い世代の人数が少ないことがほとんどです。行事を減らそうと思っていても立場的に言い出せず、過剰な負担で自ら命を絶ってしまう若手も複数見てきました。これは何とかせねばと思ったのが大きなきっかけでした。

カリスマに代わって新たな豊かさを実現する力

それでも、閉塞感漂う地域を優れたリーダーが救ってくれるのではという淡い期待が残っているような気がします。確かに、かつては地方の成長を支えてきたリーダー達が数多くいました。豪腕政治家が国から予算を引き出し新幹線や高速道路など様々なインフラができました。地域には名士と呼ばれるような方がいてそうした方々の努力抜きには日本の農村の近代化はなしえなかったでしょう。今でもメディアでは地方を引っ張るカリスマ社長やカリスマ公務員といった存在がもてはやされています。

でも、昔に比べたら地方もはるかに豊かになったと思います。至るところに大型ショッピングモールができ、道路も良くなっています。若い世代なら職種さえ選ばなければ働く選択肢も増えたのではないでしょうか。そんな時代にカリスマがそれほど必要なのかと疑問に思っています。

まちを支えるのは起業家やリーダーばかりとは限りません。週末の兼業や、学業・子育ての合間で気軽に行っている活動だって、地域を支える貴重な存在のはずです。自治会など既存の活動に精を出す人もいれば、自分でサークルを作って困っている人々の支援を始めるような人もいます。小商いを始めてイベント出店しているような人も増えています。カリスマをもてはやすのもいいと思うのですが、豊かになりきってしまった現代、そんな名もなき人たちのほうが新たな豊かさを実現する力になっているのではないかと思うのです。そこで、そうした人々を勝手に「週末ヒーロー」と呼ぶことにしました。

週末ヒーローに出会う旅のはじまり

そうした人々の輪が広がっていけば、創業気運だって高まるし、世の中を変えるような優れた取り組みも一定の確率で生まれていくだろう。もしかすると、少子高齢化の担い手不足を支える仕組みが作れるかもしれない。そんな経緯で、「週末ヒーロー」たちに出会い、ひたすら耳を傾けるのをライフワークにすることにしました。

高齢化で若者も少ない中で、そんな人たちがどこにいるのと懐疑的な声もありましたが、周辺を見回してみると**ヒーロー予備軍**が結構いることに気づきます。会社はやめたいと思っているけれど、今すぐではなく、今は週末の空き時間でできる範囲でやってみたい。子育て中だが、空いた時間に創作活動に取り組みたい。学生で地域活動に興味があり、通わせてもらえる現場を探している、などなど。

で、そうした週末ヒーロー予備軍の人々が共通して抱えている悩みが見えてきました。「一歩を踏み出したいと思っているが、何から始めたらいいかわからない」「放っておけない身の回りの課題があるけれど、モヤモヤしていてうまく説明できない」「友人や家族に相談しても〝浮いた人・意識高い系の人〟扱いされそうでとても言いだせない」。でもみんな、やる気だけはあるんですね。

地方でも、偉い人やカリスマの講演会などは頻繁に開催されていますが、それも違うなと思ったのです。私も依頼をいただくのですが、みなさん「感動しました」と言ってくれても、明日には忘れてしまうのだろうなぁと違和感がありました。私としては感動しなく

実施地域一覧（2014）

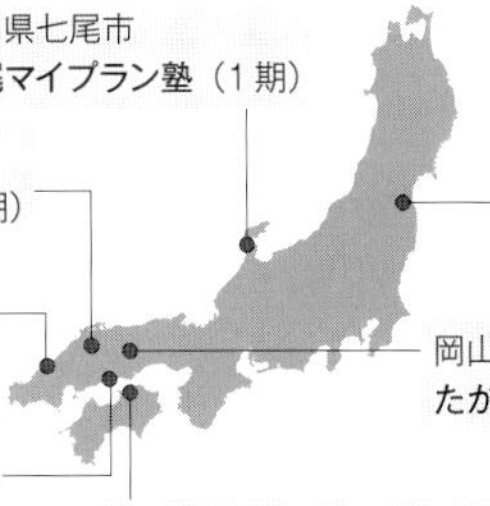

無理しない地域づくりへの試み 担い手育成塾・実施地域（2020）

● 運営中（19 ヶ所）
○ 新規開講（4 ヶ所）

東北・北海道

- 北海道浦幌町
  シニア未来塾（1 期）
- 宮城県気仙沼市
  ぬま大学（6 期）
- 宮城県角田市
  かく大学（1 期）
- 宮城県・県南広域
  伊達ルネッサンス塾
  （6 期）

北陸

- 石川県加賀市
  かがやき塾（6 期）
- 石川県（全県）
  いしかわ地域づくり塾
  （4 期）
- 石川県珠洲市
  スズプラス塾（3 期）
- 富山県氷見市
  リカレント講座1＋1
  （通算 3 期）

中国

- 兵庫県朝来市
  あさごラボ（5 期）
- 兵庫県明石市
  無理しない地域づくりの学校・
  明石校（2 期）
- 岡山県社協・全県
  おかやま地域力しツジ
  （通算 6 期）
- 岡山県新見市
  無理しない地域づくりの学校
  （1 期）
- 岡山県鏡野町
  ローカルチャレンジ塾（1 期）
- 広島県尾道市
  若者チャレンジ塾（5 期）
- 広島県（全県）
  ひろしま「ひと・夢」・未来塾（5 期）
- 島根県奥出雲町
  みんなのチャレンジスクール（2 期）

関東

- 埼玉県越谷市
  越谷チャレンジ講座（6 期）
- 東京／全国　NPO 法人 ETIC
  Makers University・
  尾野ゼミ（5 期）
- 神奈川県横須賀市
  ヨコスカまちづくり塾（2 期）
- 千葉県いすみ市
  いすみまちづくり塾（1 期）

四国

- 香川県高松市
  地域づくりチャレンジ塾（7 期）
- 高知県須崎市
  須崎ビジコン・ビジネスプラン塾（5 期）
- 愛媛県西条市
  ヒトづくり塾（4 期）

てもいいから1ヶ月後くらいにこれだけ行動しましたという報告を一言くれれば、そのほうがよっぽど嬉しいのです。それで、週末ヒーロー予備軍が学びに集まれる「ゼミ」のようなものが開催できないかと思ったのです。安心安全な場で同じ目線で語りながら、ひたすら切磋琢磨できる場所を作りたいと動き始めました。

そして住民自治では日本でも草分け的存在であった島根県雲南市に関わりを持つようになります。2011年、次世代担い手育成の試みとして「幸雲南塾・地域づくり実践講座」がスタートしました。手探りから始めた担い手育成の試みは、一つのモデルとして全国へ広がり、現在全国約20ヶ所で地域づくり入門塾が開催されています。(前頁の図参照)

10年かけて100人の輪を作る

週末ヒーロー予備軍は、すぐに何かが始められるというわけでもありません。空き時間で無理なく活動を始めるから当然ゆっくりです。基本的には3年はかかると思って接した方が良いのです。人によっては10年かかるかもしれない。だからみんなで輪になって、誰かがうまくいったらOK。その輪の中でAさんがうまくいった、その次はBさんがうまくいった、Cさんはいま別のことで忙しいからつながっておくだけ、というのが必要なのです。適度に切磋琢磨して、たとえ進んでいなくても負け組にならず、焦ることなくみんなが歩みを続けていける**「生態系」**のようなものを作っていくことが大事なのです。

ゆるい生態系は安心安全な場でもあります。普通の人が普段と違う行動をしますので、人々の目に留まります。「あんたなんかに何ができるの」と見下されるようなこともありますし、「そんなに頑張らなくてもいいじゃないの」と冷ややかな目で見られることさえあります。異質なものは格好の噂話の対象ですから、ヒソヒソ話にも悩まされます。聞こえないはずなんですが聞こえてしまうんですね（笑）。

そんなことで孤独を感じてしまい、せっかくやる気があるのに、思いとどまってしまう。これほどもったいないことはありません。つまらぬ揚げ足取りをやめろといったって、人間の自然な反応ですからどうすることもできないのです。

なので、ちょっと熱く語ったり、少しの行動をしてみたりが当たり前な場を作ってしまえばいいのです。普通の暮らしをしながら、そこにいるときだけは人々の目を気にせずに話ができる。週末ヒーロー予備軍が自然とそういう場に吸い寄せられていけば、担い手は確実に生まれていくと考えました。**毎年10名ずつ週末ヒーロー予備軍を発掘し、10年かけ**

て100名の輪を作っていこう。そんな呼びかけで次第に輪が広がって行きました。

創業、民間財団、災害支援

成果も少しずつ現れてきています。起業しないでいい塾としてスタートしたはずだったのですが、3年ほど経ってみると実に2割ほどの卒業生は実際に創業したり事業承継に取り組んだりしていることが分かってきました。2011年から10年間続いている**島根県雲南市の「幸雲南塾」**では既に50名以上の新規雇用が創出されています。担い手育成の全国的なモデルとして視察が絶えません。

石川県加賀市の「まちづくり学校かがやき塾」では7年間で70名以上の卒業生が輩出され、若者世代による様々な地域課題解決の取り組みが増えています。加賀市出身で全国的な規模に急成長したベンチャー企業の創業者一族の方がこれに感銘を受け、私財を投じた民間財団が誕生しました。利息と運用益で毎年数百万円の財源を確保し、子育て支援や貧困課題解決に取り組む地元の非営利団体への助成を主に行なっているのですが、助成先の決定や審査はほとんどが「かがやき塾」の卒業生が担ってくれています。

東北では、東日本大震災復興にこうした担い手発掘育成のノウハウが活かされています。震災から3年経った2014年、東北の沿岸各地では特定の復興リーダーに仕事が集中し、健康を害して離脱していく現象が起きていました。宮城県の「仙南エリア」と言われる1市3町**（角田市・亘理町・山元町・丸森町）**にて**「伊達ルネッサンス塾」**が開講し、特定のリーダーに頼らない、復興の担い手育成を手がけています。約40名の卒業生が周辺各地で今も独自の活動を続けており、6件の創業を輩出しています。

2019年には台風災害により宮城県丸森町で町中心部のほぼ全域が水没してしまいました。ボランティアセンター立ち上げなど、既存の組織ではなかなか対応しづらい業務を迅速にこなさねばなりませんが、こうした災害復興の現場に伊達ルネッサンス塾の卒業生の繋がりが大いに役立つことになりました。

2018年に発生した**西日本豪雨で市内広域で断水が発生した広島県尾道市**でも、それまで5年間実施していた**「尾道若者チャレンジ講座」**の卒業生が活躍しました。井戸水の給水や入浴場所の開放など行政の手の回らない支援をSNSの活用で行っていたのです。

地縁型組織と週末ヒーローの協働の可能性

このように全国各地で「週末ヒーロー」に着目した新たな形の担い手発掘育成が進んでいます。新たな担い手による様々な活動も生まれています。

とはいってもこうした発掘を進めていくことだけでは担い手不足そのものは解消できないのかなと思っています。地域づくりのはじめの一歩を学んだからといって、「では消防団に参加して下さい、自治会の役員になってください、地域ボランティアに参加してくださいと言われても、困ってしまいますよね。

では意味がないのでは？　と思われるかもしれませんが、そういうわけではなく、**「地縁型組織」**と**「テーマ型組織」**で考えると分かりやすいと思います。自治会や消防団や民生委員など地域の安心安全を守るためになくてはならないのが地縁型組織。自分がどうしても放っておけない社会課題を自分なりに解決していくのがテーマ型組織。自身の趣味や特技を活かした活動もこれにあたります。

テーマ型組織が発達していくと地縁型組織というのはだんだん負担が減っていくのです。これは、行政とＮＰＯの関係に似ているかもしれませんね。行政は地域の課題にまんべんなく対応するけれど、全てに手が回るわけではないです。そこでNPOが特定のテーマの専門性を持って自らの気づきと責任で先駆的・開拓的に課題解決に取り組めます。NPOと行政が協働することでより高次元の公共活動が実現することになります。*これと同じで地縁型組織と「週末ヒーロー」の協働は大きな可能性を秘めているのです。

週末ヒーローが「3世代チャレンジ」の最後のパーツを埋める

そしてもう一つ。私の考える理想の地域づくり像は「3世代チャレンジ」だと考えています。3世代とは、**(1)小中高生のチャレンジ、(2)週末ヒーロー等による若者世代のチャレンジ、(3)シニア層が支える地縁型組織のチャレンジ**、と分類しています。

2010年頃からふるさと教育やキャリア教育といった形で小中高生が地域づくりに目

*NPOと行政の協働については、日本NPOセンターのウェブ記事、「行政と協働するNPOの8つの姿勢」が非常に分かりやすくまとめられています。
https://www.jNPOc.ne.jp/?page_id=457

を向けるような機会が増えています。ということで1や3についてはかなり発達してきている中で2の部分が極端にパーツとして足りていないのではないかと考えています。

少子高齢化が本格的に進行していく中でどの世代も少なからず不満を抱えていると思います。不満を言いたくなる気持ちも分かりますが、「不満より自慢を」。小中高生が地域を誇りに思いふるさと学習の成果を語る。シニア層が「わしらもこんなに頑張っているんだ」と胸を張って地域自慢を語る。そして最後のパーツ、若者世代が空き時間を活用して私はこんなことをしていますと語り出す。そして互いの話に聞き入り、応援コメントやこんな協力できますとつながりができ始める。この循環がほしいのです。

すると何が起きるのでしょうか。地域の活動というとどの世代も「大変だ、疲れた、先が見えない」といった後ろ向きの考えが支配してしまいます。それが、他の世代に話を聞いてもらえた、というだけで充実度はかなり違ってきます。大変だけどもう1年やってみようじゃないか、あるいは来年はこうしてみようかと前向きな発想が生まれるのです。まだまだ地域の底力は発揮できるのではないかと考えています。

特に若者世代はどの話にも深く聞き入り、共感することで元気を与えられるはずです。だから最後の重要なパーツなのです。そんな理想の「3世代チャレンジ」を生み出すために週末ヒーローの発掘育成に走り回っています。

こうした発想の元、**高松市の地域づくりチャレンジ塾が2014年にスタート**します。島根県雲南市で生まれたモデルが全国に展開して実施されているのです。

第Ⅱ部 うっかりの出会いから創造的掛け算に

第４章　尾野寛明

地域づくり
チャレンジ塾がはじまる

この人塾長？

初めて高松の地に足を踏み入れたのは2014年の春頃でした。四国経済産業局課長（当時）の川井保宏氏が島根県雲南市における担い手育成の取り組みを度々見学に来られ、「こういうのを四国でもやるべき」と呼んでくれたのでした。

経産局での打ち合わせも早々に終えて、その足で高松市の市民活動育成や市民の交流促進を目的に設立された「高松市まちづくり学校実行委員会」の会合へ。様々な市民講座を開催して意識啓発を行っているが単発講座では限界があるとの話を聞き、その場で「それなら経産局と共同で連続講座を開催しませんか」と提案し話が進みました。

塾長に尾野が、そしてもうひとりの講師として高松市出身で当時小豆島において様々なまちおこし企画を手掛けていた真鍋邦大氏（通称・ポン真鍋）を「教頭」として迎え、四国経産局・高松市まちづくり学校共催という形で、第1期の「高松市地域づくりチャレンジ塾」がスタートしたのでした。

当時尾野は31歳。よくこんな人間を塾長として担ぎ上げてくれたものだと思うのですが、誰も気にしていなかったのか、若く見えなかったのでしょうか。初めて高松市市民活動センターの事務局スタッフの皆さんと事務連絡でお会いした際に、**「えっ、この人塾長？」と明らかに顔に書いてあった**のが忘れられません。最初の立ち上げはどの地域であっても苦労することが多いです。様々な困難を乗り越えて開催にこぎつけてくれた関係者のみなさんには感謝しかないですね。

半年間固定メンバーで

「地域づくりチャレンジ塾」は約半年の講座です。月1回の頻度で開催され、通常講座が全5回、そして「学縁祭」と呼ばれる最終発表会で1期が完結します。毎年夏頃に受講生募集が行われ、約10名の塾生を募集し、固定メンバーで半年間切磋琢磨することになります。本書に登場するおーみさんは1期生、かなこさんは2期生。同期の塾生は一生モノのつながりになりますし、違う期でも相互の交流が多く生まれます。

通常講座は休日午後の3〜4時間程度、前半がゲストトークで、周辺で小さな取り組みをしている実践者に取り組み紹介してもらいます。**「有名人より普通の人」**を合言葉にしていまして、受講生にとって少し先をゆく取り組みをされている方をお呼びしています。

最近は卒業生が増えてきており、気軽にお願いできる人が増えてきました。

後半になると塾生の発表です。宿題として埋めてきてもらった雛形をもとに3分から5分でおしゃべりしてもらいます。人前で話したことなどないと緊張される方もいますが、雛形を読み上げれば良いという安心感、そして同じように何かを始めたいと思っている人々が聞いてくれているという心地よさも重なり、ほとんどの人が時間を超過するくらい話せてしまいます。安心安全に話せる空気づくりには最大限の配慮をしています。

終わったらそのまま交流会へ。ひたすら喋るとあっという間に時間が過ぎていきます。新型コロナの感染拡大でなかなか飲み会に繰り出すことができませんが、関係者は顔を合わせる度に「早く飲みに行けるようになったらいいね」と口を揃えます。

こうして、講座を何回か繰り返しているうちに的確で共感力ある喋り方を誰もが身につけられるようになります。**「書く、聞く、しゃべる、寝かす」**の作業をひたすら繰り返すのが大事です。特に何かを実践しなさいという制約は設けていませんが、聞いてくれる人々がいると、なにか前に進めて成果を自慢したいと思うようになり、うっかり受講生の企画が前に進んでいきます。的確に現状や困っていることが説明でき、そして話し方にも共感力があるので、自然と周囲から助けられる環境もできあがるのです。

ゆるさ、コンクリート禁止

初期はコンセプトも固まっておらず、かなり滅茶苦茶だったような気がします。初期は「コンクリート禁止」という考えにかなりこだわっていました。安易に中心部の集まりやすいところに人を集めていてはいい考えは生まれないし、自分たちでいろいろなところへ赴いて、そこで活躍する人々との出会いすらも学びにしようと説いていました。私も体力が有り余っていた時代でしたし、その無茶苦茶っぷりがまた「ここからなにか生まれそう」という雰囲気につながっていたような気がします。

第1期の最終発表会は、四国経産局川井さんの遊び心で、高松を拠点に走る私鉄の琴平電鉄さんに協力いただき仏生山駅の留置ホームの列車を貸し切って車内での発表会でした。いまでも「琴電で発表会した塾」として半ば伝説になっています（P36写真参照）。

反面、意見が食い違うこともありました。まちづくり学校の実行委員は、市内の経済界や市民活動で活躍される方々です。経済寄りになるとどうしてもスピードと成果が大事と思ってしまう方が多く、「せっかくの塾なのだから学んだ成果をいち早く形にすべき」と悪気なく叱咤激励してしまうことがあります。**即戦力ではなく、将来の担い手を裾野広く**

養成する場なので、長期的な視点で接してほしいと繰り返し話していました。

無理につなげるのではなく、「自慢」し合える環境を

私自身が高松で学ぶものも多かったです。3～4期くらいになると「この塾に集まった人々を市内各地のコミュニティセンターなど地域づくりの最前線へ積極的につないでいこう」と意識していた頃でした。無理につなげようと意識しすぎて先方に無理な売り込みをしてしまうなど負担をかけたこともありました。

結局そんなに無理しなくても良かったのです。チャレンジ塾の場ではゲストトークという形で地域関係者の方々にも登壇をお願いするのですが、みなさん口々に「私の思いを聞いてくれてよかった」とそれだけで元気になって帰っていかれるのです。塾生たちの聞く姿勢はピカイチのものがあり、この場で話すこと自体が名誉と思ってもらえるのでした。運営側としてはその後のつながりを無理して作ろうとしていたのですが、重要なのは何のことはない、いつも塾で大事にしている**「共感して聞く姿勢」**だったのです。

そこで気づいたのが前章でも触れた、「3世代チャレンジの循環」という考えでした。

ゲストトーク（第４期　２０１７年１０月２０日）

どの世代も互いに小さなチャレンジを自慢し合い、共感し合う。そうすることで地域と若者は自然とつながっていくし、様々な活動が細くとも長く継続していくのです。

７期目にもなると、集まる人の振れ幅がとんでもないことになっていました。塾生には大学生もいれば、コミュニティセンターのセンター長もいる。ゲストにも地域の関係者の発表があれば、ママさんの発表もある。最終発表会には委員のつながりで小学生も聞きに来ていました（それも複数家庭）。３世代みんなが取り組み自慢をして、みんなで共感してつながって、やたら熱気があって楽しい。そんな空気が出来上がっています。

実行委員会に運営ノウハウが溜まっていく

高松の地域づくりチャレンジ塾は、高松市役所から高松市まちづくり学校実行委員会へ運営委託されています。委員は公募によって5〜8名程度が選出され、任期は2年。現在4名がチャレンジ塾の卒業生です。

手法の確立していなかった頃から一緒に作り上げてきた経験値は大きく、今では私がいなくても委員会にかなりの運営ノウハウが溜まってきていることを実感しています。今や運営についてはほとんどお任せで、私は塾生の発表に対するコメントに集中させてもらえるなど本当に恵まれた環境を作ってもらっています。塾生の進み具合によっては新しく開発したワークシートを進行に応じて投入してみたり、新しいワークショップ手法を導入してみたりして、さらに実行委員会がそのノウハウを吸収していきます。

グループワークの発表にゲストがコメント

第5期くらいまでは尾野も毎月足繁く通っていましたが、時代は一気にコロナ禍へ突入し、オンライン配信も当たり前になっています。2020年度の第7期に至っては尾野もほとんどオンライン登場になってしまいました。実際に行けたのは第4回講座と、夏に別用でふらりと立ち寄った「番外編・仏生山見学ツアー」の2回だけ。感染拡大を見極めながら直前まで行けるかどうかを判断し、ようやく行けたという状況でした。その他、初回と最終回もオンライン登壇です。

しかし見方を変えれば、それ以外の回は実行委員会と卒業生で運営できているという状況でもあります。正直な話、もう尾野がいなくても運営できるんじゃない？　と思っていますし、そういう状態を目指しています。でも**全く呼ばれなくなるのもそれはそれで寂しい（笑）風の人のジレンマ**です。

最終報告会

委員に尾野も守られる

私も人間的にできた振る舞いを常に行ってきたとは言い難く、歴任の実行委員長のお二方には本当に助けられてきました。NPO法人子育てネットひまわり代表の有澤陽子さん（1期～3期、7期）、そして運送・物流などを手掛ける日新グループ相談役で2020年に千葉県のいすみ鉄道の社長に就任された古竹孝一さん（4期～6期）です。

地チャレ進行中（左・尾野、右・大美）

何件起業しましたといった成果が見えづらく、委託元の高松市役所も財政は決して潤沢とは言えない中、予算の確保には苦労していると聞きます。そんな中お二方をはじめ、各委員の尽力もあり今に至るまで継続できています。

私も最近でこそ怒らなくなりましたが、30代前半はだいぶトゲトゲしており、4期目くらいまでは大人げない振る舞いも多かったと思います。自分の言葉で話さない、借り物の

言葉で飾り立てるような話は極端に嫌う性格でして、「そんな話聞く時間がもったいないわ！」なんて発表を途中で遮ってしまうことも。後始末に追われる有澤さんに「ちゃんとフォローしなさい」とよく小突かれていました。**無茶苦茶な振る舞いの私を「しゃーねーな」と守ってくれていたみなさんにはただひたすら感謝**ですね。

塾生の現状とその後

ここからは、可能なかぎりこれまでの塾生の活動事例を紹介したいと思います。週末ヒーローってこんな人達、というのがより伝わってくるのではないかと思います。

(1) 手段の目的化の罠を乗り越える(1期生・藤井節子さん／NPO法人東北ボランティア有志の会香川)

1期生の藤井節子さんは、これまで**東北3県へ21回のバスツアーを催行し、近年は各地で発生する災害の被災地支援**を行っています。2018年は西日本豪雨災害の被災地へ17回の緊急支援活動を実施するなど、近隣県における活動へと幅を広げています。

現在はツアーが開催しづらくなり、日々の防災意識を高める活動や、防災セミナーなど活動に幅が生まれています。被災地の物品販売で現地とつながる企画も好調なようです。

活動が何年も続くと、「手段の目的化」が生じることがあります。当初は高い理想があったが、いつの間にか行事を開催することが目的になってしまうような現象です。よく分からない行事ばかり立て込んで疲弊している場合は要注意です。

節子さんも、今一度活動の「目的」を見直しました。四国はいつ南海トラフ地震に襲われるか分からない地域です。目的はあくまで日々の防災意識を高めること、そのための「手段」として東北に学びに行くわけです。防災意識向上が他の手段で達成されるなら、バスツアーにこだわらなくてもよいのです。「手段の目的化」の罠を乗り越えて活動が今でも続いています。

(2) Must / Should から Will / Can へ(3期生・斎藤おさむ氏/香川県ヨット連盟)

「おさむちゃん」と呼ばれ愛されキャラの斎藤おさむ氏は、実は現職の高松市議会議員です。ですが3期生で受講当時は落選中。勉強も兼ねて地域づくりチャレンジ塾を受講しました。大学時代ヨット部で全国優勝も経験し、ヨット連盟の世話人として若い世代の指導育成や普及活動をライフワークとしています。

……の、はずなのですが、当初掲げたプランは、「地域活性化のための経営コンサル事業」。とにかく発表に共感力がない。ライフワークとして取り組んでいることがあり、そして何より「政治家になる」という野心を持っているのですから、全部喋っちゃいましょうよと。私の得意技である「YOUやっちゃいなよ」が炸裂してしまいました。

そして戸惑いながらも**「いや実は前の選挙で落ちちゃいまして」**と語りだしました。大体の人は知っていたのですが（笑）、自分から開示するのは大変なことです。他の塾生との距離はぐっと近くなり、ママさんたちと政策を考えることもありました。

いままでは、体の不自由な方や高齢者、親子でも安心して自力で操船できる2人乗りヨットを準備し、**「海辺を楽しむヨット体験教室」**として夏休みの4日間開催するまでに。2018年から毎年定員オーバーになる盛況ぶり。持ち前の愛されキャラでのべ100名以上が手伝いに来るといい、新型コロナ拡大の中でも定員を絞り、開催が続いています。

地域づくりというとどうしても、「こうあるべき(should)・こうしなければ(must)」という考えが先行して個性のないプランになってしまいます。ライフワークとして実践していること・どうしても実現したいこと(will)、そして自分のちょっとした力でできそうなこと(can)、そんなことを言葉にしていく大事さを改めて考えさせられます。

(3)「鍼灸師×地域のウェブサイト」で新たな境地を拓く(5期生・岡田幸美さん)

塾では何か斬新な企画を作らねばと悩む人も多いのですが、そんなことはありません。ほとんどの人は普通に働き、子育てに奔走する人なのです。その「普通」の延長上にちょっと違った要素が掛け合わさると、新たな境地が見えてきます。5期生の岡田幸美さんは鍼灸師ですが旦那さんが開業するのに合わせて高松市へ移住。家業の接骨院を手伝いながら、3人の子育て中です。**鍼灸の良さを伝える活動を模索**し受講を決めました。

大きな変化があったのは高松市の離島・男木島《おぎしま》で開催された回。子育て世代の移住が増えるこの島で移住支援コーディネーターから聞いた「半径3mの快適さ」がまさに探し求めていた考えでした。高松に住んでいると何故かそのへんの人が色々助けてくれるし、知らない人が自分たちのことを知ってくれている。最初は嫌でもそのうち快適になり、自分の近くが快適だと外に飛び出せる。そんな移住の生の声を発信することで人々の助けになると考えます。

そこで始めたのが、自身の暮らす高松市国分寺地区の**子育て（孫育て）世代に必要な情報を発信する「ママMAPこくぶんじ」**。地域で頑張っているお店や教室、子ども連れで行くことができるお店を紹介し、紙媒体とウェブ版の作成を開始しました。そんな経緯を地域づくりチャレンジ塾の場で話していると、関係者経由で協議会へ伝わり、国分寺北部コミュニティ協議会のウェブサイトそのものを作って欲しいと頼まれます。

こうした活動により、周辺で鍼灸のワークショップを開催する機会が増えているようです。さらに料理教室を開催して人気講座となったり、骨盤の大切さを知る講座を受け持ったりと、活動が広がっています。普通の鍼灸師の、ちょっと放っておけない精神と少しの特技を生かした活動が掛け合わさり、自身の暮らしの幅も広がり、仕事の幅も広がっているのです。

（4）「誰のためのサービス？」を考え直す（5期生・伊澤絵理子さん／まなびやもも）

困っている人の役に立ちたいと始めた活動が時には「支援側にも有益である」ことがあ

ります。伊澤絵理子さんは元中学校教諭で、病院内学級を担当した際、もっとひとりひとりの子どもと向き合いたいと感じたこと、そして、身近な家族が不登校になり、家庭や学校に加え、子どもや若者に向けた第三の居場所を作りたいと強く思うようになりました。祖父母の家だった**古民家を改修し夫婦で「まなびやもも」を始め、主に①学習塾②居場所づくり③体験型イベント**の3つの事業を実施しています。

5期生の当時、すでに事業は始まって学習塾の生徒数は順調に増えていました。居場所づくりも一定の支持を得ていましたが、香川県には支援制度がありません。制度改正に向け働きかけを続ける日々でした。

ただ力が入りすぎかなと思うところがあり、「誰のためのサービスなのか」を一緒に考え直すことにしました。もちろん不登校の子たちのためのサービスであることには間違いありません。ただ同時に**長時間労働に燃えつきて教員を辞めた絵理子さんが教育活動に携わり続けるための活動でもあった**のです。教員をやめたら教育に携われないと思いこんで過酷な労働環境を耐えている人が多いといいます。自分なりに携われる道はいくらでもあるよって伝えたい。

だったら制度改正に神経すり減らさなくても良いじゃない、学習塾の収入でカバーする事業モデルにしよう、そんなやりとりをしていた1年間でした。居場所づくり事業をしていることが「面倒見の良い塾」というイメージになっているようです。チャレンジ塾と縁のあるバス会社さんと提携し、職業体験事業が実現するなど社会との接点も広がっています。

(5) 週末の活動が地域づくりに (5期生高木崇安さん/ニコニコ科学研究所)

5期生の高木崇安さんは普段は技術職で働く会社員ですが、2005年頃から週末に科学好きの仲間たちと**親子科学実践教室「ニコニコ科学研究所」**を開催するようになりました。身近で不思議な物理現象を題材に大人も子供も混合で点数を競う「子ども科学オリンピック」など趣向を凝らした講座で自営業者や主婦・学生・シニアなど20名弱にまで運営協力者が広がります。

そんな高木さん、集客に苦戦するなど行き詰まりもあったようですが、地域づくりチャレンジ塾に通うことで市内各地のコミュニティセンターで科学教室のニーズがあることに気づきます。そして、異業種との交流も積極的にこなしていきました。塾の中で同期とランチに行く通称「飯宿題」というのがあるのですが、美容サロンを運営する同期の塾生のところで話していたところ、「アロマオイルは科学教室ネタになる」と思いつきました。若い世代が興味を持ってくれそうなテーマを取り込み、集客は再び好調になっているようです。

「大人に科学に興味をもってもらうことが理科離れを防ぐ一番の近道」であるといい、学校の成績にこだわらず、**「理科や数学の面白さを感じることで、人生が豊かになる」**とというのが信条です。

週末の趣味が地域づくりにつながる、こんな暮らし方を実現するのも地域づくりチャレンジ塾の役割です。趣味はスポーツでも研究でもいいのです。スポーツは健康増進にもなるし競技人口が増えると競技レベル向上につながります。有志の郷土・歴史等の研究会は実は日本の郷土研究を支える重要な存在だったりします。それと同じで科学に興味を持つ子供が増えるのは重要なことですし、週末ヒーローの可能性に着目していいと思うのです。

（6）平日は仕事で、週末はライフワークで（6期生・竹内栄作さん／子どものミカタ）

仕事の延長上で週末の活動が始まり、それがライフワークになってしまうこともあります。週末にタダ働きということでもなく、自身のキャリアアップや勉強のために週末を活用しているといった人が多いような気がします。平日は立場や肩書がついてきてしまい制約が多いから休日に好きなように活動したいといったケースも見られますね。

障害がある人の就職支援と就職後の支援を仕事とする竹内栄作さんは、**子どもたちがのびのびと楽しく過ごせる居場所づくりプロジェクト「子どものミカタ」**を立ち上げて仕事の空き時間で活動しています。

ミカタには「味方」「見方」の2種類の意味があるといいます。大人が思う「よかれ」ではない子どもの**「味方」**であること、そして虐待、貧困等子どもたちが置かれている状況や行動の意図を知り**「見方」**を変えていくこと、そんな意味が込められています。自身も軽度の発達障害「がある」といいますが、地域づくりチャレンジ塾には個性的な人ばかりですので、そんなこともすっかり忘れて接していたような気がします。

……もっと紹介したい人はいますが、字数の都合上6名だけの紹介とさせてもらいます。どうでしょうか。こんな人達が100名もいてその輪が広がると、暮らしやすい地域って本当に自分たちの手で作れるんじゃないか、そんな気分になってきませんか。

ではここから、香菜子さん、そしておーみさんの地域づくりチャレンジ塾奮闘記とその後のストーリーを見てもらいましょう。

第５章　中村香菜子

そのままでＯＫ

〜私の生きる意味〜

これ以上何をすれば？　私は一体どこへ行く？

活動はとても順調でした。コンサートだけだったイベントは、親子ふれあい講座、ママのカフェタイム、食育講演会、調理実習など幅広く増加。いつ開催しても、予約はすぐにいっぱい。この頃には私だけでなく、副代表のまいこちゃんや、団体外部のママも講師に迎えました。少し得意なことを持っているママを見つけると、ぜひそれをみんなの前で披露してほしい、講座にしてほしいとお願いし、本人も参加してくれるママも喜んでくれることがとてもうれしかったです。拠点を持つことができなかったので、地域の貸しスペースを探してその都度場所を変え、２０１５年頃には月に10回ほどの講座をするようになりました。

私は相変わらず、末っ子を連れていつでも子連れで活動していました。長女を保育園に預けていたころのせつない思い出。子供を預けず自分で育てながら自己実現してみせる、そんなポリシーがありました。好きなことが子育ての現場だったことで、子供自身の居場所もでき、充実した日々を送れていたのです。しかし、３才になった末っ子の幼稚園入園が近づくにつれて私の中でも不安が大きくなってきました。このまま、子連れじゃなくなっても私はぬくぬくママSUN，Sを続けるのだろうか、この先どうしたらいいのだろう。そんなことを毎日考えるようになりました。

そんな時、よく相談に乗っていただいていたNPO法人子育てネットひまわりの有澤さんがフェイスブックで紹介していた講座に目がとまりました。

「高松市まちづくり学校　地域づくりチャレンジ塾2015〜あなたらしくあたらしく。アイデアをマイプランに」

募集のチラシにはそんな言葉が書いてありました。ちょうど前年から始まったこの講座で、2期目の募集。時々、有澤さんのフェイスブックの投稿からなにやら楽しそうなことをしているなと感じていた私は、なんだかその時「これだ！」と思ったのを覚えています。「まいこちゃん、私これに勉強に行くから！」そう言い放ってすぐに有澤さんに連絡して応募しました。「地域」のことも、「まちづくり」のことも一度も考えたことがありませんでした。

大人の世界についていきたい

２０１５年８月末、私は33才、第２期が始まる前にプレセミナーに参加しました。当日前夜に塾長である尾野寛明さんと1期の有志が企画した会もありました。夜の開催ということで子供たちのことが心配でしたが、意気込んで参加しました。子供たちは実家にお泊りしてもらったと思います。末っ子とは初めて24時間以上離れて過ごしました。子供を置いて夜に出かけることがほとんどなかった私にとっては勇気のいる参加です。

金曜日の夜に少し薄暗いおしゃれなカフェで会は開かれました。白いスクリーンの前にまず現れた男女２人。「ど〜もこんにちは〜！」とお笑い芸人のように漫談を始めます。苦笑いしながら一体この会はなんなんだろうと思い、慣れないノリにそわそわしました。のちにこの本の共同著者となる、おのさんこと尾野寛明さんと、おーみさんこと大美光代さんとの初めての出会いです。

1期の塾生のマイプランのプレゼンを聞いた後、近くの居酒屋さんに移動し初めて会う人たちとたくさん話をしました。私は夢中でしゃべっていました。自分がしている活動のこと。既存のものではない、どこにもない子育て支援がしたいということ。人の話を聞くのを忘れ、とにかく自分のしていることをこの貴重なチャンスに聞いてもらいたい一心だったと思います。その夜は自宅に帰りましたが、興奮してほとんど眠れなかったと思います。翌日はコミュニティ協議会や自治会についての話を聞いたり、参加者のみなさんと自分たちの抱える課題について話し合ったりして充実した時間を過ごせました。

まるで世界旅行をした気分でした。子供がいる場、女性ばかりいる場が世界の中心だった私にとって、多様な人生を歩んできた大人ばかりの場は刺激的でした。子育てばかりしてきたことがいつも心のどこかで負い目でした。しかしここには私の話に耳を傾けてくれる人がいる。仕事をしてきた人と同じだけ、私の子育て活動のキャリアにも自信を持ちたいと思いました。多様な人に私の生きる場所のことを伝えたい。そんな気持ちでいっぱいだったと思います。

おのさんって何の先生?

本講座の1発目。つかみが大事だと思い自己紹介で童謡「とんぼのめがね」を歌いました。子育て講座ではいつもあいさつより先にいきなり歌から始めると、参加者の意識をこちらに向けることができたからです。しかし、思いっきり空振りでした。男性の多い部屋の中、苦笑いだけしかありませんでした。私はそれまで女性や子供たちがいる世界でしか生きたことがなかったことに気がつきました。

塾長であるおのさんは、とにかく何度も自己紹介を私たちにさせます。ワークシートを使って、自分は何が好きで何ができて、誰のためにどんなことがしたいのか。私はあふれる気持ちを言葉にし続けました。何回か回を重ねるうちに同じ受講生とは仲良くなり、いろいろと相談したり協力したりし合える関係性になっていきますが、おのさんから一体何を教わっているのかはよくわかりませんでした。

毎月の塾の度に、とにかく言語化に言語化をつきつけられました。「子育て」の世界を知らない立場の方にもわかるように話をする度に、団体の説明がなんとなくできるようになってきました。塾生の同期で集まり、パワーポイント資料の作り方や発表の仕方を学び合い何度もプレゼン練習を重ねました。その甲斐あって、塾の最終報告会では以前に比べてかなりうまく話せるようになったと思います。様々な人の話を聞きながら、自分の活動を丁寧に言語化していきました。

子育てサークルに所属するママは輝くアイドル、運営の私たちはそのプロデューサー、輝くアイドルを見た参加しているママたちは元気を引き出され、子育てが明るく楽しくなるというように団体の仕組みを紹介。**「子育てエンターテイメント　ぬくぬくママSUN'S」**という言葉が生まれました。

地チャレでは、同期の塾生に加え、毎回地域での実践を聞かせてくれるゲストスピーカーなど、たくさんの異業種の人たちに出会いました。私は、はじめなぜ、異業種の人の話を聞かなければならないのかわかっていませんでした。チャレンジ塾卒業生としていつも塾に来ていたおーみさんが「なんか、めっちゃがんばっとるやん〜！」といいながら私の肩をバンバンたたいてきたときは、「なんなんこの人、私のこと何もしらないくせに」としか思いませんでした。今まで子育てをしながら「子育て支援」の仕事を目指し、スキルも磨いてきた私にとって、子育てや、子育て支援のことを何もわからない人から何かを評価されることが違和感でしかなかったのです。ここが地域づくりの塾だということさえその時の私には理解できていなかったのだと思います。でも、異業種の人、異世界の人と、話をすることは、**「自分の知らない自分に、出会うこと」**だったのです。

ある時おのさんが、「俺は子育て支援のことなんてわからない、わかることなんてない、でもね、わかろうとしてるよ」と、言ってくれた時、すごくうれしかったです。自分も異業種の人の話を聞いた時**「わかった気になんてなるものか、わかろうとし続けなきゃだめだ」**と心の底から思いました。そして、自分のことも、わかることなんて、死ぬまでないと思ったのです。自分の知らない人から見た自分は、いつも新しい自分です。

子育てサークルメンバーが、入れ替えで新陳代謝をかさねるたび、新メンバーとの年齢の差、感覚の差が広がってきているのも事実です。でも、若いママ＝知らない人は、自分たちの知ることのなかった自分たちの側面を教えてくれる人たちです。そんな時に、自分たちだけの既存の枠組みにとらわれていたのでは、それを知ることはできません。

自分の中に流れる井戸（水脈）を掘り当てるには、他人から貸してもらう「つるはし」「スコップ」が必要です。もしかしたら、土砂を洗い流してくれる「清流」かもしれません。もしかしたら、吹き飛ばしてくれる「風」かもしれません。おのさんは、どこにあるのかわからないそのアイテムを、うっかり運んできてくれるおもしろい風の人なのだと思います。

言語化＋数値化＝いいねえ〜〜

2期に続いて、次の年の3期のアドバンスコースも副代表のまいこちゃん、メンバーのゆかちゃんと共にチームを結成して受講することができました。この時くらいから、なんとなく地域とぬくぬくママSUN，Sのつながりがわかるようになってきました。おのさんが言っていることも少しずつ理解できるようになりました。

2016年おのさんとプレゼン

次におのさんは私たちに数値化を求めてきました。年間どのくらいの参加者がいるのか、高松市でどのくらいの子育て世帯がぬくぬくママSUN，Sを利用しているか、など、集計を一度もしたことのなかった私たちは改めて数値を出してみました。また、行政が運営する子育て支援拠点と何が同じで何がちがっているのかをわかりやすくまとめて表にしてみたりもしました。

その結果、1年間で400世帯、延べ数で2500世帯がぬくぬくママSUN，Sを利用していることがわかり、それは高松市で在宅で子育てしている人の5・6％（18人に1人）ということも分かったのです。

プレゼンができるたびに、おのさんが「おっ、いいねえ〜さすがだねえ〜」と言ってくれるのがうれしくて頑張れたのだと思います。「言語化＋数値化＝いいねえ〜」の日々でした。

拠点をもたず地域と子育て世帯をつなぐ活動

チャレンジ塾の発表のために言語化、数値化したことは、普段の生活でもどんどん生かせるようになりました。新しく出会う人に「なにしてるんですか？」と質問されるとちゃんと答えることができるようになったのです。1期を受講するまで、どうにか拠点を持ちたいと考えていたのですが、あえて拠点を持たないことは強みだと気づいて広範囲の地域に出向いていき、講座をするようになりました。中でもコミュニティセンターとのつながりは、団体の認知度も高めてくれました。チャレンジ塾で出会った方々のおかげでした。

「地域と子育て世帯をつなぐ」という言葉を使うようになってからは、講座をする場所の特色を、集まった子育てママにどんどん紹介するようにしました。その町の情報をクイズゲームにして盛り込んだり、その土地に伝わる昔話をお話したりしました。コミュニティセンターの機能を紹介し、職員さんとお話して帰ってもらうように声かけをしてまわりました。講座をさせてもらう私たちも、私たちを呼んだコミュニティセンターにもメリットがある関係性を目指しました。そうして新しく講座のできる拠点をいくつも増やしていき、ピーク時には高松市内16か所で、講座をするようになっていました。

自己肯定感低め、承認欲求強めのナカムラカナコです。

これは私がチャレンジ塾3期（2年目）のころ、自己紹介の最初のつかみでよく使っていた言葉です。今見ると、サイテーの自己紹介だなと思うのですが、なぜかこれがウケて、まねする人もいたほどでした。私が、この活動をしてきて、ずっとがんばってこられたのは、いつも自分に満足がいかないという自覚があったからです。専業主婦になり、無収入になった時から、家事育児をしている自分だけでは自己肯定することができず、何も言われていないのに、周りから私は必要のない、価値のない人間だといつも言われているような焦燥感にかられていました。

だから、新しいことにチャレンジし、「いいね」と認めてもらう度にテンションが少し上がり、もっともっとと、チャレンジを続けることができたのです。しかしこのやり方では限界がきてしまうことをこの時は知る由もなかったのです。

共感の輪

ぬくぬくママSUN，Sの恒例の活動の中に、夏と冬に開催しているママたちによる手作りの「ぬくぬくコンサート」があります。このコンサートは主に、親子で楽しめる童謡、合奏、劇、詩の朗読、サークルのママたちの特技披露、などで構成されています。コンサートは予約制。会場などにもよりますが1家庭500円から1000円の参加費をいただいています。参加費はできるだけ安価がいいと思ってきましたが、低価格や無料に近い価格設定をするとせっかく参加してくれたのにおしゃべりばかりで何も見てもらえなかったという経験もあり、ある程度の金額をいただくようにしています。

コンサートというと、子供が泣いたらどうしようと心配される人も多いですがこの場では子供は動き回っても泣いてもＯＫ。たくさんの子育てサークルメンバーや法人スタッフが困っているママをすかさず見つけフォローに入ります。集団の中に入れず、一人だけ子供が泣いているママの焦り、疎外感ほどつらいものはありません。同じ経験をしたことがあるママの立場だからこそ気付けることや、手を差し伸べられることがあるのです。

劇に合奏、詩の朗読の中には、乳幼児子育て中のママに伝えたい思いをこれでもかと詰め込んでいます。**「お母さんだってありがとうって言われたい」「せっかく作ってくれたご飯を子供が食べてくれない」「子供が後追いをして家事を最後までやりきることができない」「いくら掃除しても片付かない」「パパに褒めてほしい」**子育てしていたら誰でも悩んでいたり困っていたりする経験を、リアルに今現在子育てをしているメンバーが、子供にも飽きさせない工夫を加え楽しく表現することで、親子で楽しむことができ、ママには強い共感を呼んでいます。

ある時は、ママたちが幼いころ夢中になったセーラームーンに扮した劇をしました。子供を産むまでは各所で活躍し、キラキラ輝いていたセーラームーン。しかし、ママになっ

ぬくぬくコンサート（高松市民交流プラザ　ＩＫＯＤＥ瓦町にて）

たことをきっかけに私はなにもできなくなったと嘆いているのです。そこに、仲間のセーラー戦士で先にママになった先輩たちが、ママになったからこそ、同時に様々なことができるようになったり、抱っこで腕に力がついて重いものが持てるようになったり、料理上手になったりと、できることがたくさん増えたと教えてくれます。その劇を演じたママも、見た参加者ママたちも「私たちにも価値がある」と思い直し、仕事をしていない乳幼児期間を大切に過ごそうとたくさんの人が思い直してくれました。この時のコンサートはＮＨＫの夕方のニュースでも特集され、さらにママたちの自尊心は高まっていったと思います。育児休暇の期間こそキャリアダウンではなくキャリアアップだと考えるようになっていました。

また「詩の朗読」では毎回一人のメンバーが自身の子育てを振り返り、思いを文章にして朗読します。「難産の末生れてきてくれた我が子との出会い」「授乳がうまくいかなかったこと」「夜泣きで何度も起こされたこと」「つらいこともたくさんあるけどママになれてよかったと思っていること」「不妊治療でやっと授かったわが子」そんなことを、それぞれが文章にし、みんなの前で読むのです。普段自分の思いを文章にすることのない普通のママたちが、詩をつくることにより、自分の気持ちに改めて気づける機会でもあります。ほとんどのママは読みながら涙を流します。そしてそれを聞いたたくさんのママが同じように涙を流します。どの人にも重なる思い、経験があるからです。会場は共感のぬくもりで溢れ、あたたかい時間が流れます。

一度だけ、おのさんがぬくぬくコンサートに来てくれたことがあります。当時、60組ほどの親子で会場は満員御礼。音響の調整をしてくれたり、照明を気遣ってくれたりお手伝いもしてくれたのですが、どうやら、恥ずかしくて居場所を失っていたようです。おのさんも1児のパパですが、「いや〜わっかんねえわ〜」と笑いながら焦っていたのを思い出します。おのさんだけでなく、ある一部のママ以外の人にとってはわかりづらい感情、特殊な環境なのかもしれません。

金じゃな〜い！

これだけ活動が広く大きくなっても、私にはいつも満たされない想いがありました。それは、給料がほとんどないこと、任意団体のままでいいのだろうかという不安。団体をこの先も運営していくためにも、自分と運営スタッフの給料を捻出していかなければならないと強く思っていました。

チャレンジ塾の中でおのさんや様々な方に、「どうすれば収益をあげられるか」をたくさん相談しました。でもどこか、噛みあわない、どうすればいいのかわからない、そんな日々。しかし、何度も言語化しチャレンジ塾の中でたくさんの人からコメントをもらう中で、私たちの活動は収益の有無ではなく、活動自体に価値があると気づきました。

毎回プレゼンしたあとに参加者にもらえる「コメントシート」は本当に励みになりました。「かなちゃんの想いに胸を打たれました」「みんなが参加したくなるような団体ですね」。

とにかく、自分たちの活動を言語化するうちに、活動の価値を多くの人に分かっていただけるような言葉が使えるようになっていたのだと思います。

活動を続け、収益化も少しずつ目標を持って取り組んでいると、じわりじわりと人件費も捻出できるようになりました。現在は、収益は団体運営のためにとても大事だと考えていますが、充実した価値ある活動に取り組んでいれば、収益は必ずあとからついてくる、と考えられるようになりました。

この頃、法人化についてもどうしようか常に悩んでいましたが、そんなに収入のない私たち、そして助成金や後援を受けずとも、たくさんの子育て家庭を巻き込みながら活動ができていた私たちにとっては法人化するメリットはほとんどなく、もう少し先でいいかなと思っていました。

おーみさん

チャレンジ塾に参加を始めたころから、私はおーみさんのことが気になっていました。チャレンジ塾の度に会う人。なんだかノリや世界が自分と違う感性を持っていそうな人。「なんだか苦手だな、でも近づいてみたい。」どこかでゆっくり話せたらいいなと思っていました。何度か、メッセージのやり取りなどをしましたが、話がかみ合わず時間が過ぎていました。そんな時、彼女自身が企画した小さな会に招待してもらったのでこれは行くしかないと、参加したのです。ドイツのお菓子を食べながら、折り紙を折るというかわいい会でした。私を歓迎して迎えてくれたおーみさんのことがもっと知りたいと思うようになりました。

その後、2016年8月に初めておーみさんのプレゼンを聞きます。おーみさんが進学校卒業後、マックでバイトしてシングルマザーになったときの話。なぜかその話の中に自分との共通点を感じたのです。自分も子供も一つ年上の同じ母親、それ以外は私たちは全く共通点はありません。しかし、「私はこれでいいのかな、ここではない、どこかへ」といつも想い、もがいている姿をおーみさんの話に感じ、自分に重ねたのかもしれません。

プレゼンを聞いた2日後に私はおーみさんにこんなメッセージをおくっています。

「なんでそんなにおーみさんは自信があるんですか?」

彼女はその問いに対し、うさぎがおなかを思い切り殴られて震えているスタンプを返しています。今見返すと、なんと突拍子のない私でしょうか。

「自信? ないぜ、そんなもん(笑)。微塵も(笑)。わたしゃ絵にかいたようなコンプレックスの塊じゃが」

きっとおーみさんはびっくりしたと思います。プレゼンを聞いて、私と同じように自信のない部分があるのかも、と感じたのに、日常生活ではすごく自信がある人に見えていたからこその問い。そして、自信を持てない自分をいつの間にか励ましてもらっていたのでした。

その後私たちはじわりじわりと近づいていきました。おーみさんから一度ぬくぬくママSUN，Sを見学したいと来てくれたり、時間をとってランチをしながら語り合ったり。おのさんがきまぐれに近県の塾に誘ってくれ、「そこでなんか話してよ～」と自由にプレゼンする機会を与えてくれることもありました。県外に出たことのない私にはハードルの高い出張でしたが、そのたびにおーみさんは私をサポートしてくれました。

そして2017年6月、おーみさんから、

「100人の普通の人が束になって地域づくりできる団体をつくりたいと思ってるんや。一緒にしてくれんかな？　名前はもう決めてる『わがこと』って」

と伝えてもらうのです。一気に私の体にワクワクの電流が流れました。

「わがこと！　めっちゃいいやん！　最高の名前だね!!」

私は35才、おーみさんは36才でした。

承認欲求はどこまでいっても満たされない

私は「このままではいけない」、という強迫にも似た気持ちに長い間支配されていました。学校の勉強が苦手だった私はテストの点数で両親の期待に応えることができませんでした。両親は私を「素晴らしい子供だ」といつも言ってくれました。ですが、私は自分がその「素晴らしい子ども、素晴らしい人間」になれていないことにいつも焦りを感じていました。職を持たない子育て中は特にそんな気持ちが高まっていたと思います。

任意団体のままでは誰にも評価してもらえない。たくさんのママたちに支持されても行政に認められていないのでは意味がない。そんな風にばかり考えていました。次はこの賞に応募してみよう、この助成金に応募してみよう、このネットワークに加盟しよう、ぬくぬくママSUN，Sがうまくいっていた2017年ごろは「認められたい」一心で、寝る間も惜しんでさまざまなことにチャレンジしていました。自分が完璧だと思ったプランを提出したのに行政の採択がとれなかったりすると、その度に落ち込み号泣していました。

その頃の口癖は「どうせ誰も私を認めてくれない」「誰もママSUN，Sのよさをわかってくれない」でした。年間2000を超える子育て世帯が参加し、たくさんの仲間がいた毎日ですが、大きな組織から認められたいとばかり思っていました。

おーみさんにわがことを一緒にしようと誘われたのもこの頃です。おーみさんが私を選んでくれたことが本当に心からうれしかったです。周りに、「ぬくぬくママSUN，Sも法人化していないのに、別の法人を立ち上げるの？」などと言われたこともありましたが私にはそんなことは関係ありませんでした。

ぬくぬくママSUN，Sの方向性も模索しながら、わがことの活動を始めました。まだ末っ子は3歳、お弁当作りや幼稚園送迎に加え、ぬくぬくママSUN，Sの活動、そしてわがこと……。自分は給料をもらっていない専業主婦だから、「全然がんばっていないから、もっとがんばらないと」と、いつも自分を追い詰めていました。どの部分も手を抜くことなく取り組もうとし、家事など手を抜いてしまった部分に関しては自分を責め続けていました。

ずっと自分を否定し、頑張り続けていた37歳の私の自律神経はそのころ崩壊しかけていました。疲れているのにどうしても眠れなくなり、寝不足のまま働き、また夜が来るという状態。肩こりや頭痛もひどく、いくら薬を飲んでも治らなくなっていました。次第に手や足がしびれ始め、口の中には常におかしな味がするようになっていました。

2018年秋、ぬくぬくママSUN，S主催の大きな子育てマルシェと、わがことが高松市から委託されて開いた政策プランコンテストが近い日程で開催されました。その数日もほとんど眠れず、体調がどん底の中、二つのイベントを終えた私は立ち上がれなくなってしまいました。

数日間、活動をお休みしました。活動を始めてほぼ初めてのことです。代表である私、母である私は、絶対に倒れてはいけない、他の人よりも何もできてないから、休んではいけない、そんな自分への脅迫は通らない状態まで追い詰められていました。家の縁側に座り、庭のオリーブの木が日にあたり風になびく様子をじーっと見ていると心が落ち着きました。

その日は大事なぬくぬくママSUN，Sの全体研修の日。私がいないなんてありえないと思っていましたが、ちゃんと団体は動いていました。「ああ、休んでもいいんだ」と、初めて思いました。講師の谷益美さんが「かなちゃん、みんな無事研修できてるよ～」と会場の様子の写真を一枚送ってくれたのを覚えています。

ぬくぬくママSUN，Sの仲間たち、そしておーみさんが幾度となく声をかけてくれたり、お見舞いを届けてくれたりしました。毎日涙ばかりがこぼれていました。

体調を崩して、2週間後くらいから活動を少しずつ始めました。どこも悪いところはないのですが、どうにもならない口の中のおかしな味や手足のしびれ、不眠は続いていました。活動をぐっと減らして、私は何冊も本を読んだり、様々な人に会いに行ったりしました。心と体が喜ぶことだけを選択するようにし、しんどくなることはできるだけ控えました。今まで体を動かすことが大の苦手だった私ですが、家の近くの里山に登ったり、ジョギングしたりすることも始めました。

そのころ初めて、「自分で自分を認める」ということを実感としてできるようになってきました。「だめだ、だめだ」と思っているときは身体は苦しいまま。「今日はこれだけのことができた」「私はこんなにやれている」と思うことで身体が少しずつ楽になっていきました。元気になるまで2年近くかかったように思います。

ぬくぬくママSUN'S年表（2）

2016年4月	公益社団法人高松青年会議所主催高松人間力大賞　ユニセフ協会賞受賞
2016年12月	NHKゆう6かがわ特集（10分）・年間延べ参加世帯数　2019世帯

2017年3月	香川県子育て応援団大賞受賞 高松市地域づくりチャレンジ塾企画賞（大賞） 年間延べ参加世帯数　2555世帯
2018年9月	託児有償ボランティア「ぬくぬく託児隊」発足 地域の施設等を利用した子育て世帯向け講座開催地区が20か所を超える
2018年11月	地域の30団体と連携し「ぬくぬくマルシェえぶりわん」を開催、400名以上来場 年間延べ参加世帯数　2584世帯
2019年1月	連携団体40か所となる
2019年4月	一般社団法人ぬくぬくママSUN，S設立
2019年9月	第2回「ぬくぬくマルシェえぶりわん」を開催、地域の35団体と連携、約400名来場・年間のべ参加世帯数　2291世帯
2020年	コロナ禍でも少人数の講座や動画配信など自主的な活動を継続する KSB瀬戸内海放送「報動力」～そのママでいいの～ドキュメンタリー（60分）放送・年間のべ参加世帯数957世帯

そのママでOK・「私でいいんですか?」からの脱却

体調を崩してから、ぬくぬくママSUN，Sの副代表まいこちゃんこと長尾舞子とも、団体運営について何度も話し合いました。みんなが同じことに取り組み、みんなが疲弊してしまうやり方ではなく、それぞれの特性を生かし、効率よく仕事ができるチームをつくっていこうと試行錯誤しました。プライベートや家族の時間、休息の時間もとれるような仕組みも考えていきました。

2019年4月に一般社団法人を設立しました。行政の委託や助成金を受けない私たちにとって法人化はあまり重要ではなく、先延ばしをしてきました。活動内容はほとんど変わりませんが、法人化することで経理をきちんと整えることができ、任意団体の時より、社会的にも信用が高まったと思います。監事はおのさんにお願いしました。難しいことが苦手な私たちに、おのさんは「簡単にできるからいっしょにやろ～」と、定款も一緒に書いてくれました。個人の活動を始めてから10年目の法人化でした。

子育てサークルのフレッシュママたちに、それまで私は「1UP、スキルアップを目指そう」と声をかけてきましたが、この頃から**「そのママでOK」**という言葉がけをよくするようになりました。私自身も「がんばろう、がんばってね」という言葉を使わないようにし、どの人も今このままの状態で十分がんばっているんだ、できているんだよ、というメッセージを発信するようになりました。いつの間にか、「子育て支援」をしているという感覚もなくなりました。誰もが「支援」をされるよりも、誰かの役に立てた時に喜びや幸せを感じるのではないかと思うからです。

子育て中の人や、お勤めをしていない地域の高齢者の方、または会社勤めで忙しくしている人に、「まちづくりしましょう」「力を貸してください」と言うと「私なんかでは無理です」という人が多くいらっしゃいます。でも、よくよく聞くと、好きなことや得意なことがあり、それはすごく魅力的なことだったりします。私はそんな時、「あなたがいいんです、そのままのあなたが必要なんです」と声を掛けます。

「私なんか何の役にも立たない、いないほうがいいんだ」

何を隠そう、いつも私が思ってきたことでした。今もまだ心の奥底にある気持ちです。人と同じことができず、どうしてもこの生き方しかできない自分にいつも満足がいきませんでした。でも今は**「私にしかできないことがある、私しかできないことを自信をもってやろう」**と思うようになりました。そして、人と比べてしまう自分、誰かに嫉妬してしまう自分、そんな自分も「そのままでOK」と**あきらかに認める**ようにしています。そう、「あきらめる」ようにしています。

同じ人は1人もいないはずなのに、自分と違う能力を持つ人を見るたびに、たいていの人は「私にはできない」と、落ち込んでしまいます。でも他者から見ると、どの人もすばらしい特性があり、能力があるのです。

自分で自分を認めることができるようになると、他者のことも認められるようになり、嫉妬心やライバル心に支配されることもなくなります。まだまだ全部そのように思えているわけではありませんが、「自己肯定感が低く、承認欲求の強いナカムラカナコ」の部分を許しながら、ポジティブに元気に生きていっています。

あなたには力がある

たかまつ地域づくりチャレンジ塾のほか、おのさんの開く塾には全国から、さまざまな人が集まってきます。「こどもたちのために」「高齢者のために」「まちのために」そんな大儀をひっさげてくる人に、おのさんは「なぜ?」「あなたは何が好きなの? なにができるの？」という質問をとにかくし続けます。

町で暮らすごく普通の様々な人の力を引き出すには、「だれかのために」という言葉より「私のために」という言葉のほうがしっくりくるからだと思います。私は次第にだれかのためにしている場づくりやまちづくりが、「私」の生きる意味を創ってくれているのではないかと考えるようになりました。


「どんな人にも力がある」 私はそう思います。小さな赤ちゃんは、そこにいるだけでみんなが幸せな気持ちになります。子供たちが無邪気に走り回るから、お年寄りの顔がぱあっと明るくなります。おしゃべり上手の人がいると、その場の空気が盛り上がります。無口で目立たないけど、いつもみんなの知らないところで掃除をしてくれている人もいます。私のように、すぐに誰かを誘って企画をするのが好きな少数派の人もいますね。

私は、そんな様々な人が自分らしくポジティブに生きる姿を見るのが大好きです。みんなすごい！　みんなすばらしい！　あなただけでなく、自分もよくやっていて、自分にも力がある、そう毎日自分に言い聞かせています。


「あなたにも、私にも力があり、生きる意味がある」

私は、まちづくりではなく、私やあなたの「自分づくり」がしたいのかもしれません。

自由主婦集団ぬくぬくママSUN'S法人スタッフ

まいこちゃん

香菜子幼稚園ママ友。元保育士でワークライフバランスを崩し退職した香菜子と同じ経験を持つ人。

保育士スキル、コミュニケーションスキルに長け、いつも安定している。数々の子育て講座の講師を務め、香菜子の良き相談役である。

団体の活動のすべてを把握しており、日々の段取りをしている。

わがことのメンバーでもあり、誰もが笑顔になれる地域づくりを目指すことが楽しくなっている。

りさちゃん

香菜子の幼稚園ママ友。元幼稚園教諭。夫の仕事の手伝いと、息子2人のサッカーや習い事のお世話の合間にママSUN'Sを少しずつ続けている。小さい赤ちゃんが大好きで託児が得意。銀行へ行ったり、現金を管理したりしてくれる。表には立たないが、準備や片付けなど人が見ていないとことで大事な仕事をしてくれる。

みっちゃん

ママSUN'S初期のころの常連参加者。じわりじわりと、少しずつ活動への参画をすすめられ、元葬儀屋さんだったのに、子育て業界にどっぷりはまってしまった人。保育士免許や経験はないが、団体で保育スキルを磨き、子育て講座や託児などなんでもこなす。とてつもなく明るく元気で、あまり深く考えずなんでも楽しくできる団体のムードメーカー。

ぬくぬくコンサートでの合奏に心奪われ、ママSUN'Sファンに。表に立つことは苦手なタイプで、ステージで輝くママの印象の強い場所には参画できないと言っていたが、裏方の事務仕事をする人がいなく困っていた時期に、事務仕事をしてほしいとお願いして参画してらった。丁寧なメール返信、細やかな書類づくりの能力はピカイチ。活動しながら3人目を妊娠出産。

2人連続、5年の育休で、サークル活動をしていた中学校の先生。
ダンスや楽器演奏もでき、ステージに立つのが得意。教師は子育てしながら働く環境が整わず退職し、法人スタッフとなった。乳幼児子育て講座のスキルも持つ。今後団体での多世代交流、中高生への教育的な活動分野でも新しい挑戦をしようとしている。

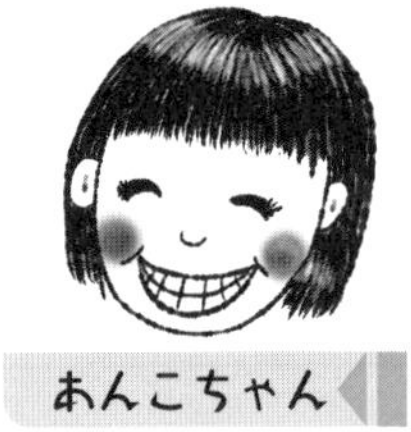

家業の手伝いがあるため、しっかりした仕事に就職することはできないが、なにか自分らしい活動をしたいと思い、サークル活動を経て法人スタッフへ。物おじせず、どんな人とも話ができる力を持っているので賛助会員や企業広告などの営業も得意。楽しそうなことはすぐにやってみることができ、みんなのすることを「いいねいいね」と拍手で称賛してくれる。

第６章　大美光代

地域で暮らし、地域で働く。
それが私のライフワーク

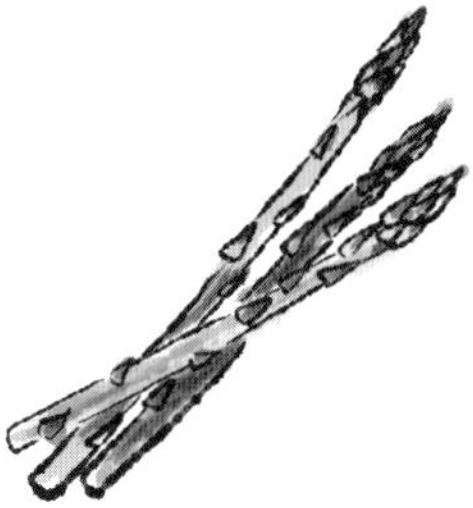

「最後まで面倒みます」

退職まで残り半年となった頃、職場の先輩からの紹介で、地域づくりチャレンジ塾（地チャレ）の1期生になりました。第1章の最後にも少し触れましたが、当時の私は「地域」というワードには全く触れず、むしろ避けて生活をしていました。どのくらい避けていたかと言うと、地チャレの受講後、息子が小学校5年生の時に、初めてPTA役員をすることになるのですが、私がそれまで全くと言っていいほど学校にも地域にも関わっていなかったために、「大美さんって、今年転校してこられたの？」と10人くらいのお母さんに聞かれました。それくらい微塵も興味がなかったし、仕事に必死だったこともありますが、そういう活動を避けていました。

そんな私が、なぜ「地域」づくりチャレンジ塾だったのか。結局のところ、私自身あまりよく分かってなかったのだと思います。信頼のおける先輩の紹介だったことと、破格の受講料に惹かれて、勢いでプレセミナーに参加しました。しかし、このプレセミナーで自分の意思として改めて受講を決意することになります。

その一番の理由が、悔しいかな尾野寛明の言葉だったのです。プレセミナーでは、既に全国数カ所で尾野さんが開講していた実践塾（地チャレの姉妹塾）の事例を紹介しながら、高松でもこんな塾を始めますよ、という説明がありました。地チャレでは各々がマイプランというものを作成し、それを半年間の受講中に小さくても実践に移すことが軸になります。講座では毎回多様なゲストがやってきて、ご自身の実践例を話してくださり、更には塾生のマイプランにも丁寧にコメントをしてくれるという、何とも濃厚で贅沢な時間が設けられます。全国の姉妹塾も同じような形式の講座なので、尾野さんは全国の受講生たちの様々なマイプランに関わってきていました。

「本当にね、色んなプランがあるんですよ。地域の福祉に関わるものから、ご近所の居場所づくりや、ヤギを飼うなんてプランもありましたね。でも、どんなプランを持ってきても大丈夫ですよ。**最後まで面倒みますので！**」

何年も勤めてきた部署が間もなく無くなり、会社から放り出されそうになっている私に、初対面で「最後まで面倒見る」と言い切ってしまうこの人が、どれほどの影響力があったのか、想像に難くないと思うのです。もちろん、その一言は私にだけ向けられたわけではなく、そこにいた物好きな20人くらいに向けて同じように発せられたはずでした。ところが、私は何を勘違いしたのか、プレセミナーが終わるや否や尾野さんのところに駆け寄り、「あの、受講申し込みました。ていうか、**私のための塾をありがとうございます！**」と元気よくと伝えたのです。その時の尾野さんの笑った顔は、何となく今でも覚えています。この瞬間から、地域になんてまるで興味のなかった私が、徐々に地域活動に巻き込まれていくようになったのです。

地域づくりチャレンジ塾開講

プレセミナーから約1ヶ月、本講座がスタートしました。本講座初日は息子の運動会と重なっていて、迷った挙句に、午後の応援は私の母に任せて地チャレに参加しました。お昼のお弁当は一緒に食べたのですが、息子のご機嫌を取るため、彼の大好物だったシャインマスカットをお弁当箱に詰め込み、「ごめんー、ほんまごめんー」と言いながら運動場を後にしました。

そこから半年間の受講が始まるのですが、地チャレの講座の第一印象としては「世の中には色んな人がいるなぁ。この人たち、何なんだろう」でした。早い話が、分からないことだらけ……いや、分かることが1個もない状況でした。ただ不思議と、居心地の悪さはなく、無性に楽しいという感覚がありました。アドレナリンがブワーっと出る感じ？　でしょうか。

講座の前半は、毎回ゲストがやってきて、今まで私が触れたこともないような世界の話を聞かせてくれます。地域で起こしたビジネスの話、福祉の話、教育の話。それまで微塵も興味のなかった事ばかりなのに、毎回引き込まれるように聞き入っていました。

この頃、自分のある勘違いに気づきます。会社にいると、毎日数百人の社員と共に同じフロアで働くので、なんとなく自分の世界は広くて、なんでも知っていると錯覚していたことに気づいたのです。広いと思っていた自分の世界は、社会の中の限定的な一部分に過ぎず、なんでも知っているどころか、何を知らないかすらも分かっていなかった。そんな気づきがありました。

修行という名のマイプラン発表

前半のゲストの話に続いて、後半は毎回、塾生自らマイプランを発表します。この時間を、私は密かに **「修行タイム」** と呼んでいました。ゲストの立派な話の後に、何者でもない私が、自分のプランを話す。これが地チャレの醍醐味と思えるようになりましたが、塾生にとっては軽い地獄です。今でこそ、私がこの時間をビビっていたのには大きな理由があります。地チャレの2期以降は、予算の関係で塾長は尾野さん一人になったのですが、1期にはもう一人、副塾長がいたのです。その人は真鍋邦大さんと言って、「ポン真鍋」と呼ばれていました。今は兵庫県丹波篠山市を拠点に活躍されています。このポンさんのコメントが、超絶恐ろしかったのです。ポンさんはめちゃくちゃ頭が良くて、回転も早くて、とにかくコメントが鋭い。いちばん触れられたくないところを毎回的確に突いてきます。

「それって自分への言い訳じゃないの?」

「やり方が分かってるのにやらないのは、後から『ほら見たことか』ってバカにされるのが怖いんでしょ?」などなど。

こっちが真剣にやっているのでポンさんも真剣に返してくれていたのだと、後になって気づきました。厳しいこともたくさん言われましたが、今でもポンさんの言葉の数々は、ここぞという時に私を支えてくれています。「ここ（地チャレ）の仲間は、失敗してもカッコ悪くても、絶対おーみをバカにして笑ったりしない。そういう仲間だよ。だからとっととやれよ！」って。熱くて優しい人です。

しかし、当時はかなりビビっていました。しかもこの修行の時間は、講座当日だけでなく、毎回「宿題」という形で私を数週間苦しめます。宿題は大体A4資料2〜3枚程度で、あらかじめ書かれてある質問に自分なりの答えを書き込むというもの。文章で書くこともあれば、絵や画像を貼り付けることもあります。A4資料2〜3枚なので、量的にはそんなに多くはないのですが、質問の一つひとつが難解なのです。難しい数式を問われるわけでもなければ、膨大な調べ物をしないといけないわけでもありません。でも難しい。というか苦しい。「あなたの興味はなんですか？」「あなたの思う理想のよのなか像は？」ただひたすら、自分のことを掘り下げる。第1章で述べたとおり、元々主体性というものが薄く、要領よく受け身の人生を歩んできた私にとって、**「私」を主語に話すことが求められる宿題は、本当に苦痛**でした。

しかし、この「私」を主語に話すことの訓練が、後に設立するＮＰＯ法人わがことの礎となっていったのです。

地チャレへのささやかな不満と不可解さ

「これが地域づくりなん？　ってか、地チャレって結局なんなん？」いつしか私の頭の中には大きな「？」ばかりが浮かぶようになりました。それは同期の仲間たちも同じだったと思います。そのためか、講座の回数が進むにつれて誰からともなく声をかけて集まって話をする機会が多くなりました。宿題の話をしたり、すでに活動や事業を始めていた仲間の話を聞いたり。相変わらず私の中にある大きな「？」が無くなることはありませんでしたが、同期の仲間と話す時間は、これまでの会社員生活の中では経験したことのない時間で、とても心地よいものでした。

おーみ、大泣き。

地チャレには「コンクリート禁止」という謎のルールがあります。これは尾野さん独自のルールで、1期の時は運営側がこれを忠実に守っていて、毎回高松市内の色んなところに飛ばされました。ある時は相撲の道場、またある時は島。映画のロケ地にも行きました。

今でも忘れられない回があります。２０１５年1月、第４回講座で男木島に行った回。その日はめちゃくちゃ風が強くて、行き帰りのフェリーが今まで経験したことがないくらい揺れていました。夜8時過ぎに高松港に帰港した時、「コンクリート最高。陸地最高！」と大声で叫びました。ちょっとおしゃれなイタリアンお店で飲み直すことにしたのですが、そこで私は大泣きをするハメになります。10歳の息子を連れた34歳の女が、いきなりわんわん大声で泣き出す。今思い出しても恥ずかしい。穴があったら入りたい。そんな出来事でした。

ことの発端は、その日の講座の振り返りをしていた時でした。先にも書いたように、講座後半のマイプラン発表は、私にとっては修行の時間でした。その修行の時間を、ずっと黙って見守ってくれていた人がいました。当時、四国経済産業局の職員で、尾野さんの講座を高松に持ってきた人。川井保宏さんです。普段は飲んでばっかりの愉快なおっさんなのですが、ここぞという時に、ハッとする一言を投げ込む人です。川井さんは毎回、**「大美さんはいつも無理してるなぁ。彼女のプランは自分の本当のことが語れてないいな」**と思っていたそうです。それもそのはず。私は「私」を主語に話すことが苦手でしたし、一方でその場を何となくやり過ごす要領の良さは持ち合わせていました。でも、その小手先の要領の良さを川井さんは見抜いていたのです。

「大美さんはさ、4月からどんな活動したいの？　やりたいこと何なの？」

「4月からって。会社も辞めるし、自分の力で生計立てることが一番ですよ。実は、個人事業主向けの秘書代行サービスみたいのやってみようかと思ってて」

「何でそれをマイプランにしないの？　それ、本気で作って持ってきなよ！」

「はぁ？　いや、そんなの『地域』に全然関係ないし、別に自分の生活のことだし。周りがあんなに地域のためや誰かのためって言ってる中で、そんなこと……言えるわけないじゃないですか！」

「何カッコつけてんの？　自分がしようとしてること、自信持って話せなくて、何が独立なの？　事業、なめてんの？」

「だって、地域づくりチャレンジ塾なんでしょ!? そんなの、地域、関係ないじゃん! わぁーん!」

「そんなのどうでもいいよ! 関係ないよ。ってか、そのプラン持ってきなよ!」

「だって、そんなの持ってきたら、みんなと違いすぎて私あの場所に居られんやん! そんなん嫌やもん。何でそんなこと言うんよー! わーん」

簡単に言うとこんな流れです。恥ずかしい。でも、そこから1ヶ月後の講座まで、川井さんの全力サポートを受けて自分のことを見直しました。どうして会社を辞める事にしたのか。それで後悔はないのか。4月からどうするのか。「私」を主語に言語化することに、ようやく真正面から取り組みました。

2月の5回目の講座の時、川井さんともう1人、毎回難しい顔して私のプレゼンを聞いていたポン真鍋さんが初めてニコニコと笑ってくれました。その顔を見た時に、自分の中で何かが吹っ切れて、スッキリした気持ちになりました。

予定通り個人事業主に

予定通り3月に会社を退社し、4月からは個人事業主となりました。ありがたいことにその時点で既に何件か秘書代行サービスの契約をいただいていましたが、毎日が仕事の予定で埋まるほど忙しくなるはずもなく、しばらくはのんびり好きなことをしたり、会いたい人に会いに行ったりという生活をしていました。そんな私の生活に目をつけたのが、尾野さんでした。

5月頃に「岡山県北でソーシャルビジネス講座ってのやるから、来れば？ 暇でしょ？」と誘われました。今思えば、甚だ失礼な話ですが、実際のところ暇だったのでホイホイ受講に行きました。その頃から尾野さんに誘われるがまま、島根や岡山の姉妹塾にも足を運ぶようになりました。その頃出会った人たちは、私にとって今も大事な人たちばかりで、定期的に交流があります。そうやって、良い様に尾野さんに振り回され、何となく巻き込まれていく日々が続いた訳ですが、これまた地チャレと同じく不思議と心地よかったのです。

仕事も比較的順調でした。開業して2年目には、会社員をしていた頃のお給料と同じくらいの売り上げが立つようになり、安定した気持ちで日々を過ごすことができるようになりました。

地チャレ2年目、中村香菜子と出会う

そうこうしているうちに、地チャレの第2期が始まりました。すっかり尾野さんのペースに巻き込まれていた私は、何の疑いもなく第2期の講座にも聴講に行くようになっていました。軽い先輩感覚のようなものが、現役塾生時代とは違ってまた楽しかったのです。
一方で、あくまでも主役は現役塾生なので、ちょっと寂しいなと感じる部分もありました。今年の地チャレは、もう私たちの地チャレではない。いつか聴講に来ることもなくなるのだろうという漠然とした寂しさだったのかもしれません。裏を返せば、それくらい地チャレは私にとって大事な場所になっていたのです。

地域づくりチャレンジ塾の2期生募集の時、子育て支援をしていると言う背の高い女性がプレセミナーに参加していました。彼女はプレセミナー後の懇親会で、自分の活動と子育ての大切さを熱弁していました。私はそれまで「子育て支援」なんて言葉も聞いたこと

がなかったし、ひとり親として息子を育てていた私にとって、彼女の口から溢れ出る子育て論は全く未知の世界で理解ができず、「何だかよくわからない声の大きな子だな」という印象でした。これが私と中村香菜子の出会いです。

後に、彼女と一緒にNPO法人を設立し、活動を共にするようになるのですが、初めから気の合う相手だったかというと全くそうではありませんでした。むしろ、よくわからない、なんとなく相入れない存在だったと思います。一方でとっても気になる存在。きっと、香菜子にとっても私の第一印象はそんなものだったと思います。

今回、本を書くにあたって、彼女とのメッセージのやりとりを振り返って見てみました。5年ほど前のやり取りですが、率直な感想として、改めて見るとキモチワルイ。私も彼女も明らかに意思疎通ができてなくて、会話は基本上滑り。お互いに興味はあるけど、どことなく一線を引いてやりとりをしている、そんなよそよそしい感じでした。共通点も多いはずなのに、これまでのキャリアや環境はまるで違っていて、気にはなるけど理解はできない相手だったのでしょう。

ある日、彼女に誘われて一緒に食事をしました。色々と話をしているうちに、何となく彼女のことも分かってきて、**「表現の仕方は違うけど価値観ちょっと似てるかも」**と思ったのです。

香菜子は私にはないものをたくさん持っています。決断力や決めたことを推し進めるスピード感、自分の考えをしっかりと伝えることなど。数え上げたらキリがありません。思いが強すぎて、たまに周囲と行き違いを生むのですが、その都度香菜子は傷つき、悩み、向き合い、自分を信じて前に進みます。そんな香菜子を「強い」という人もいます。私もそう思っていました。でも、香菜子は誰よりも繊細で傷つきやすい人です。そんな人間臭さが香菜子の魅力なのだと思います。最初は良くわからない宇宙人くらいに思っていましたが、今はかけがえのない、本当に替えの効かない大切な人です。

地域がグッと近づいてきた

2年目の地チャレが終わった頃、尾野さんからある日突然「運営委員に大美を推薦しといたから。ま、頑張って」と告げられました。「またや。あいつ、いっつも人の意向を聞く前に勝手に巻き込むよなぁ」と一瞬心の中で毒づきましたが、すぐに「ま、えっか」という気持ちになり、気がついたら「がんばりまーす」と元気いっぱい返事をしていました。

地チャレの運営委員を始めてからは、いよいよ地域活動や市民活動をしている人達との出会いが増えていきました。私自身も、会社を退職した年に、初めて息子の小学校のPTA役員を引き受けたことをきっかけに、PTA活動にハマりつつありました。それまでは「PTAなんて面倒くさい。息子が卒業するまで絶対に逃げ切ってやる!」と思っていたのですが、やってみたら面白くて、結局そこから中学校卒業までの5年間、どっぷりPTA活動にハマったのです。その私の様を、尾野さんは「PTA芸人」と命名しています。

「できることをできる時にできる分だけ」を絶対ルールに続けたPTA活動は、周りで一緒に楽しんでくれるママ友パパ友も少しずつ増えて、気がつけば私のライフワークになっていました。後になって思えば、この時の経験が、私を「地域」というキーワードにグッと引き寄せました。

なんで仕事辞めたんやったっけ?

PTA芸人としての活動も忙しくなってきた頃、ありがたいことに本業の方も忙しくなってきました。東京のクライアントさんがいたり、地元でも名の通ったフリーライターさんと仕事をさせていただいたり。古巣のドコモから、学校向けのスマホ安全教室の外部講師のお仕事をいただいたのもこの頃で、自身の経済活動も順調に伸びていっていました。好きなことを仕事にして会社員をしていた頃を上回る売り上げを手に入れる……自分で描いたシナリオ以上の結果を手にしたハズでした。

確かに、お仕事にもクライアントさんにも恵まれて、売り上げとしては好調だったのですが、秘書代行というサービスの特性上、自分の時間が作りづらくなり、会いたい人にもなかなか会えない状況が続きました。**「私、これがしたかったんかな?」**と悩むようになりました。息子との生活もありますし、仕事は大事。一番大事。でも、それだけなら会社で働いていた頃と変わらないじゃないか、とふと思ってしまったのです。思ってしまったら最後。どうしてもそのことが頭から離れなくなりました。今思えば、明らかに仕事のクオリティが下がった時があったと思います。他にも色々な状況が重なって、緩やかに売り上げが下がり始めました。なんとかしないと! と、その時に改めて自分がしたいことに向き合おうと思ったのです。

脳裏にチラつく色んな人の顔

もやもやした時は、何も考えず、気の向くままに人に会いにいく。これが私の思考の整理方法です。時間とお財布事情が許す限り西日本を中心にウロウロしました。そんな私の姿を知ってか知らずか、尾野さんからもよく呼び出しがありました。今でも忘れないのは、平日の午後2時頃に急に電話がかかってきて、「今日さ、岡山の左下あたりでみんなで飲むから、おーみも来なよ」と言われた日。「いやいや……平日やし、息子明日学校やし、さすがに橋（瀬戸大橋）を渡る元気はないわ」と返事をして、一旦は諦めてくれたのですが、その2時間後、「あ、おーみさん？　やっぱりみんなが会いたいって言ってるから、来なよ。住所送るね。じゃ、待ってってから。プツッ」「はぁ?!」いつもこんなノリです。仕方なく、下校したばかりの息子を車の助手席に乗せて目的地に到着。尾野さんからの第一声は「あはははは！　本当に来たの！　ウケる！」でした。「あんたが来いって言ったんでしょうがー！」って大声で叫び、ひと笑い獲得したのち、おーみは最低4時間前に言えば来るっていう謎のルールができました。

そんな無茶苦茶な人ばかりですが、不思議と私の心のど真ん中を捉えて離さなかったのです。なぜこんなにこの人たちに惹かれるのか考えたことがあります。私が出会った人たちは、「地域課題」という強敵に、あれやこれやと手法を変えながら立ち向かう人たちです。皆さんの共通点は、**呆れるくらいに諦めないことと、しなやかなこと。それが地域というフィールドで活動する人たちの姿でした。**この頃から、なんとなく「こういう人たちと同じフィールドでずっと活動できたら楽しいだろうな。これ、仕事にできたら最高なのにな」と漠然と思うようになりました。

でも、私自身何かやりたい事業や実現したいものがあるわけではなく、どちらかというと「やりたいことがある人の応援がしたい。役に立ちたい」という気持ちが大きかったため、そんなことが仕事になるのか？　と思っていました。そんな矢先に知ったのが「中間支援」という言葉でした。なんとなく直感的に「これじゃないかな？」と思って勉強を始めました。しかし、調べれば調べるほど、「中間支援」という概念は、何となくふわっとしていて摑みどころがなかったのです。

試しに少し話してみた

自分のやりたいことの輪郭が見えそうで見えない、なんとなくモヤモヤした時期が数ヶ月続きました。今の私なら数ヶ月もモヤモヤせずに、もう少し早いタイミングで色んな人に話を聞いてもらうのでしょうが、それがなかなかできなかったのです。ここでも私を後押ししたのは、ポンさんがかつて私にくれた言葉でした。**「ここでできた仲間は、絶対におーみのことをバカにしない」**と。まだ「仲間」とは言えない、先生と教え子のような関係だった尾野さんに、思っていることをぽつりぽつりと話してみました。

「まだよく分からんし、上手に言えんのやけど、私も地域づくりに関わってる人にもっと積極的に関わりたいなと思ってるんだけど」

「お、とうとう来たか。どんなことしたいの?」

「いや、正直あんまりよく分からんのやけどさ、尾野さんが言ってたやん? 100のパワーの1人のカリスマに頼りっきりの地域づくりより、1のパワーの普通の人が100人寄ってたかってわちゃわちゃやる地域づくり。そういうの、みんなでやりたい」

こんな感じ。今思い返してもたどたどしい。この状態でよく相談できたな、と思います。

尾野さんは続けます。

「NPOにするの？　じゃあ他、誰に声かける？」

「今決めてるのは、中村香菜子に話してみようと思ってる。あとは、尾野さんには責任とって関わってもらう（笑）。今決めてるのは、その二人だけ。でも、香菜子が一緒にやってもいいって言ってくれるかどうか分かんない」

「そうだねー。ま、話してみなよ」

「あとさ、中間支援っていうの？　あれ、どんなことなん？」

「お、中間支援って言葉、仕入れたの（笑）。どっかインターンにでも行けば？」

私は、時間が経つと、重要なことほど後回しにしてしまうという良くないクセがあるので、早速、香菜子に連絡しました。尾野さんに話したのと同じように、香菜子にも会って話をしました。既に尾野さんの後押しはもらっていたので、幾分、自信を持って話せたように記憶しています。それでも、話し終えた直後は、香菜子の反応を見るのが怖かったです。おそるおそる彼女の顔を見ると、少しだけ「まだ良く分かんない」と言いたそうな顔をしながらこんな風に言いました。

「私はね、自分がやりたいことをやってばかりで、今まで誰かに『一緒にやろう』って誘ってもらったことがないの。私って扱いにくいんだと思う。代表ならできるんだけど。それしかやったことがないの。**私のことを誘ってくれたのは、おーみさんが初めて！**　嬉しい！　まだ良く分からんけど、100人の普通の人が集まってやる地域づくりは私も面白いと思う。**一緒にやりたい！**」

この瞬間は、本当にほっとしました。彼女の反応に「そっか、ありがとう」と返すことで精一杯でした。こうして、私を含め3人の仲間ができました。

勝手にインターン

香菜子に話をした後は、インターンの段取りです。愛媛県西条市の市民活動支援センターに約2ヶ月の間、押しかけインターンに行って、実際に現場で学ばせてもらうことにしました。インターンシップ制度というのは、一般的に大学生とかが企業で実施するものです。この時、私の年齢は37歳。大学生のインターンシップ生も2名いて、若者2名と微妙な年頃の大人が1名という、奇妙なインターンが始まりました。ここでの経験は私にとって何物にも代え難いものとなり、NPO設立を決意する大きなきっかけとなります。

単独の個人や団体の活動での限界、その裏にある協働の可能性、異業種を引き合わせることで生まれる予想外の化学反応。それらは偶発的に起こるのではなく、コーディネート役の存在が重要であること。そんなことを日々目の当たりにしました。そして、これなら誰もが活躍できる仕組みが作れるかもと直感的に感じたのです。

インターン期間が終わる頃に、当時事務局長だった戸田聖子さんと二人きりでゆっくりと話す機会がありました。彼女は私より若いのですが、NPOでの職員経験が長く、今でも私の良き相談相手です。私が戸田さんに、「人の応援って楽しいよね。一生懸命やってる人の背中って、かっこいいよね。そういう人たちのサポートができるようになりたいわ」と伝えると、「そうですよね、私も好きです。でもね、おーみさん、世の中には『応援が好き』っていう人より、『私がやりたい』っていう人の方が多いんですよ。特に、市民活動は。だから、私たちってまぁまぁ貴重なんですよ。笑」と返してくれました。確かに「私、これしたい」という人が多いのも事実ですが、「私、応援が好きなんです！」という人って、それをあんまり大きな声で言わないな、と。なので、私は**「あなたの活動を応援します！」と大きな声で言う人**になることにしました。

NPO法人わがこと

香菜子を仲間に引き入れ、インターンにも行き、いよいよスタートラインが見えてきました。NPO法人は設立時に自治体に申請して設立認証をもらわないといけません。と、その前に、発起人として10人の賛同者を集める必要があります。この時仲間はまだ3人。ここからは私と香菜子が「この人と一緒にやりたい」と思う人を厳選し、丁寧に声をかけていきました。地チャレの受講生や、運営関係者が半分くらい。残り半分はかねてから「この人、好き。絶対一緒になんかやったら楽しそう」と思える人に声をかけました。県外の仲間もいます。みんな賛同してくれて仲間になってくれました。団体名は既に決まっています。「特定非営利活動法人わがこと」です。通称「NPO法人わがこと」。わがことという名前にしたのは、**「自分の暮らしも、地域の課題も、まずは自分ごと（わがこと）で考えよう」**という意味があります。また、あまり知られていませんが、他にも**「輪」「和」「話」（わ）がコトを生む。「我が子と」と未来を見る。**そんな意味もあるのです。いい名前でしょ？

こうして、2018年11月17日、発起人となる16名の仲間と設立総会を開き、翌年20

18年1月11日に特定非営利活動法人わがこととして法務局で登記を完了します。

この時点で、わがことは4月に「私からはじまるコミュニティワーク」という自主開催のイベントを開催する以外、何も決まっていませんでした。今でもたまに「どうして法人化しようと思ったんですか?」と聞かれます。まずNPO法人にしたのは、恥ずかしくてあまり大きな声では言えないのですが、それしか知らなかった、というのが一番真実に近い答えだと思います。本当は一般社団法人も株式会社でも選べたはず。今となっては、わがことの活動は、やっぱりNPO法人がぴったりだなと思っているので、全く問題ないのですが、実はそんな感じでした。お恥ずかしい。

それ以前に、そもそもまだ何の事業の予定もなかったのに、わざわざ法人化して活動を始めたのは、私の個人的な都合です。私自身、興味の範囲は広いけれど、熱量が長続きしないことは幼い頃から既に実証済み。でも、この挑戦は続けることにも大きな意味があるということが分かっていました。法人設立は自分の中で、退路を断つ意味があったかなと思います。また、自分が安心して身を寄せられる所属が欲しかったというのもありました。つまり、代表である私の覚悟の表れと自分の所属を作るために法人化した、ということです。なかなか自分勝手ですね。

たかまつ政策プランコンテスト2019
会場に「お客さん」を作らず、もれなく全員巻き込む仕組みを作る

法人設立から早3年。色んなご縁やラッキーパンチも重なって、設立初年度から高松市のプロポーザルに参加して事業を受託したり、その後も自主事業を開催したりとボチボチと活動を続けています。

わがことでは、「一人ひとりに出番を」という思いを大切にしながら、2021年4月時点で、大きく2種類の事業に取り組んでいます。一つは、地域の担い手を発掘し新たな仲間づくりの機会を提供する活動で、もう一つは主に地域コミュニティ向けにコミュニティプラン策定や組織づくりのサポートをしています。

担い手発掘については、自主事業の「**私**

たかまつ政策プランコンテスト・屋島山頂で集合写真

からはじまるコミュニティワーク」というイベントがあります。年に3回ほど開催していますが、毎回様々なテーマや形態で、地域づくりに興味のある人や「何かやってみたい」という人を対象に交流機会の提供をしています。一方的に偉い人の話を聞くような講演会ではなく、参加者が少しずつ自分のできることや困りごとを持ち寄って交流する。これといって特にしたいことはないけど、なんとなく地域と関わってみたいという人も気軽に参加できる内容です。最近は、派生企画として、10代の若者向けに**「ジューダイ企画」**というのも始めました。

地域コミュニティ向けの事業は、行政

コミュニティワークにて。コロナ中も都度状況を判断し感染防止対策をして行っている。

からの委託事業をきっかけに始めた事業です。主にやることは、地域の大先輩である、おじいちゃん、おばあちゃん達の話や、もう少し若い世代の人たちの話をとことん聞いて、「どんな地域にしたいのか」をまとめたり、更には住民に広く伝わるような方法を一緒に考えたりします。これは、なかなか根気のいる、時間もかかる活動なのですが、地域の現場を支えている人たちの生の声を聞いて、意思決定のお手伝いをするというのは、やりがいもあってとても楽しいです。みんなそれぞれに思いを持っているので、それを聞いているだけでも全く飽きません。

２０２０年はコロナ禍の影響もあり、

事業は一旦お休み気味にして、団体内の組織づくりに仲間達と取り組みました。仲間との相互理解を深めつつ、地域との「関わりしろ」も少しずつ広げていっています。

こうして、**地域に全く興味も縁もなかった私が、むしろ、地域を避けていた私が今ではすっかり地域の虜になってしまいました。**私みたいな、お世話好きだけど、忖度ばかりで主体的に何かを始めることが苦手な人って、少し探せばどこにでもいると思います。地域には年齢も価値観もそれまでの経験も全く違った、本当に多様な人たちが関わっています。だからこそ、私のようにこれといった優れた能力や経歴がなくても、30歳半ばでポッと出感満載で飛び込んでも、なんとなく受け入れられるような、誰もが得意を活かして活躍できる場所なのだと思うのです。

個性豊かなわがことのメンバーたち

わがことには2021年時点で専従スタッフがいません。全員が本業を持っており、その傍らで一緒に活動しています。共に事業を進めることもあれば、ミーティング（以下、MTG）に参加してわがことの組織づくりにも関われます。

のりぴー

わがこと事務局担当。おーみの元PTA仲間で、事務スキルの高さでスカウトされてきた3児の母。常に芸の細かさがキラリと光る、団体の屋台骨を支える存在。

かたやまさん

ＩＴ系の企業で勤めていたが、現在は不動産屋さんを創業。「仏生山まちプランニングルーム」というまちづくり団体にも所属している。いつもハンチング帽を被っているオシャレさん。地チャレ3期生。

もーり

地方配属で2年半の香川県庁勤務の後、今は東京のど真ん中から参加中。わがことイチのキレ者で、その処理能力の高さに度々驚かされる。お堅い仕事だが、誰よりも笑顔が印象的な好青年。

ゆかわさん

元県庁職員。現在は「新しい公共をつくる」を目指して株式会社HYAKUSHOを創業。官民両方の経験を生かして、わがことでは調整役やまとめ役に。スタイリッシュな横文字をよく使う。

つんつん

家族が大好きな3児の父。本業はケアマネージャー。家族の時間と仕事の合間に、わがことに参加。得意のカメラで、わがことの活動の写真を残してくれるカメラマン。地チャレ2期生。

もこちゃん

おのさんの本を読んで「おのさんの話を聞きたい」と、いきなり地チャレの聴講に来ていたのがご縁。デザインや校正が得意な会社員で合唱やオペラの趣味も持っている。地チャレ4期生。

だいちゃん

農家さんからこだわりの野菜を直接仕入れる人気八百屋店社長。「八百屋は手段」と言い切り、食卓から家族や地域に笑顔を増やしたいと思っている。趣味のカメラは、撮られるより撮る方が好き。

はるちゃん

「高松に中間支援組織があればいいなぁ」と考え、地チャレもわがことも立ち上げから見守ってくれている人。NPO活動の経験も豊富で、多忙な中ＭＴＧに駆けつけては、いつも貴重な意見をくれる。

たまちゃん

ローカルと都会を繋いだり、学生と起業家を繋いだり、ヒト・モノ・コトを掛け合わせるのが得意。実家がお寺で、とっても聞き上手。おーみが定期的に助けを求める頼りになる人。

いよちゃん

元地域おこし協力隊で高知県在住メンバー。わがこと設立以降、離れた場所からも気にかけてくれている。デザインも得意で、事業のチラシ制作をお願いすることもあり、その度可愛くて見やすいと評判。

むらかみさん

(一社)高松市コミュニティ連合会前事務局長。その前は市役所職員として、地域の仕組みづくりに携わる。最年長メンバーで、他の人が知らないことをいろいろ教えてくれるお父さん的存在。

づーちー

さまざまな集まりにひょこっと現れる、フットワークの軽い市役所職員。自分の実感を大切にしながらも、わがことを客観的に見て、思うことを伝えてくれるバランスの良い人。

第Ⅲ部

1人のカリスマより100人の普通の人

第７章　尾野寛明

〝わたし〟の先にある豊かな〝まち〟

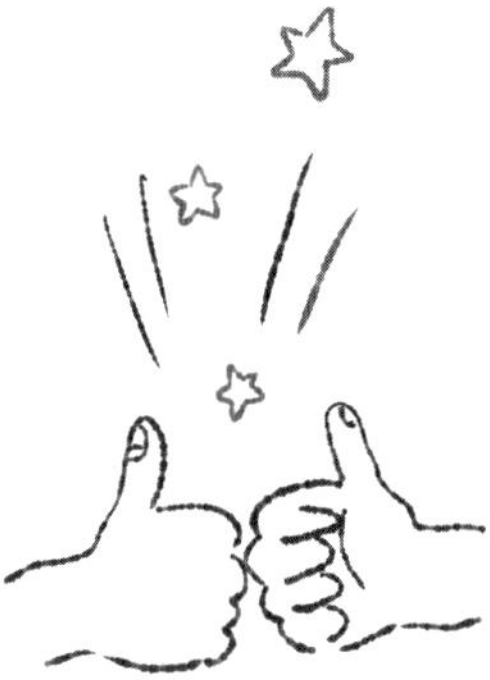

1 普通の人って何だろう、まちづくりって何だろう

ここで改めて、本書の著者3名の現在の関わりを整理してみたいと思います。当初3名が出会ったのが「地域づくりチャレンジ塾」です。バラバラの3名が同じ団体の「仲間」と思うようになったのが、2018年4月21日、NPO法人わがこと設立記念も兼ねた「私からはじまるコミュニティワーク」イベントでした。私もなにか始めたいと思う約100人が集まり、ここで出会ったきっかけで続いている重要な関係者も多いです。

3人はどう関わっているのか

2013年に地域づくりチャレンジ塾1期生だったおーみさんは翌々年から「まちづくり学校実行委員」として運営に深く関わることになります。地域づくり塾を開催していた岡山や島根など行けるところは頻繁に通ってもらい運営ノウハウを蓄積してもらっていました。2016年になると秘書代行業や研修講師業で着実に生計の目処が立っていきました。そして2017年初め頃でしょうか、「島根県雲南市や江津市で尾野が設立に携わっ

て成功した中間支援ＮＰＯモデルを高松市で導入してみたい」とボソッと打ち明けられるに至ります。

かなこさんはまちづくり学校実行委員会は自分のいる場ではないと少し距離をとっていましたが、ＮＰＯ立ち上げのために3人が再集結することになりました。本当によく話しました。何をしたい団体なのか、理想像に至らない障壁は何なのか、稼げる事業・稼げなくてもやるべき事業は何か、誰に加わってもらうか、などなど。構想約1年、２０１７年12月にＮＰＯ法人わがことが認証されます。

そして２０１９年、それまで任意団体だったぬくぬくママＳＵＮ，Ｓを法人化しようという話になります。私は「監事」という形で参画することになりました。

	おの	おーみ	かなこ
たかまつ地域づくりチャレンジ塾	塾長	1期生	2期生、3期生
高松まちづくり学校実行委員会	塾長（アドバイザー？）	事務局長	
NPO法人わがこと	副理事	代表理事	副理事

一般社団法人ぬくぬくママSUN'S			
	監事	〝フレンズ〟（時々遊んだり手伝いに参加するメンバー）	代表理事

ゆるい生態系と風の人

こうして、別々の団体なのだけれど一つの**生態系のようなもの**ができあがっていくのです。ここではたまたま本書の共著者3名だけで話をしていますが、地域づくりチャレンジ塾の卒業生、そして高松市内各地の地域づくり関係者など、様々な人々が自分の団体だけでなく別の団体も支えあっています。

なんて書くと尾野は生態系づくりに尽力したように見えますが、基本的にはかなり適当です。剛速球投げるだけ投げて、「ＹＯＵやっちゃいなよ」と遠くから見守りつつ、「いいねいいね」とひたすら共感して、必要なら他地域の事例を紹介していくというのがいつものパターンです。これが的外れなら「おのさんもういらない」となるし、的確であれば「適当なくせしてたまにはいいこと言うから腹立つけどもう少し置いとくか」となるわけです。「風の人」としてはこういうのを楽しめる性格でないと務まりませんね。

本当に2人は普通の人？

読者の方々はここまでのおーみさん、かなこさんの話を読まれて、こうも思われたのではないでしょうか。「この二人の領域に達すると、もう普通の人とは言えないのではないか」と。たしかに最初は普通の人だったのかもしれない。けれど、メディアで取り上げられるようになり、色々な賞も取るようになり、そして何より色々な人が二人を慕って集まってきているじゃないのと。団体としてしっかり収益も確保して運営している。この時点でもう普通じゃないでしょうという意見もあると思います。

これについては2つの見方があると思っています。一つ目は、「確かにそのとおり」という見方です。本になってしまう時点で普通じゃないですしねぇ……。確かにどこかで普通ではなくなる境界線が出てくるのでしょうね。いくつか実績も積み上がってくるともう普通では済まされなくなるのでしょう。とはいえ、「元・普通の人」であった、なにもないところからうっかり始まったのだという事実は変わらないと思います。**普通の人がここまで進化してしまったという勇気ある物語**として捉えてもらったら嬉しいです。

そして二つ目は、「いやいや、そうは言ってもやっぱり2人は普通の人でしょう。普通じゃない人ってもうちょっと別次元のエリートって感じの人だと思うし」という見方です。かつてのまちづくりはエリートたちが強いリーダーシップで引っ張るものだったという話を3章で書きました。社会課題も多様で複雑になり何が答えかわからない時代になり、エリートの人たちも戸惑っている。そんな中で「ほっとけないから」と**勝手に課題解決して勝手に飯を食っている非エリートな奴等**がいる。そんな痛快さってあると思うんですよね。そういう非エリートという構図で考えると「普通の人」だと思うのです。

もしかするとそのうち政治家として立候補したり県や国の政策審議委員といった役職を背負うようになったり、大学の先生になったりして、「エリート側」に寝返ることがあるのかもしれませんが（笑）。

ヨソ者エリートVS普通の人

では、尾野はどうなの？　ということで、自分で言うのもなんですが、超エリートだった思います（笑）。大学までは間違いなくエリートコースを進んでいたと思いますが、その後は見方が分かれますね。どこかで道を踏み外してしまった元エリートなのか、もしかすると新しいエリートとしての生き方なんじゃないと思っていたりもするのですが。

私が東京と島根を行き来し始めたのが2004年（本社移転が2006年）。当時は珍しがられていましたが、その後地域おこし協力隊の制度が発達したこと、そして東日本大震災も一つの大きな転換点だったと思うのですが、都市部で働くことに限界を感じたエリート達が続々と地方を目指すようになりました。これは本当に良いことだと思っていますし、まだまだそういう人が増えてほしいですね。

で、そんなエリート達が綺羅星の如くやってきて全国各地で普通の人たちと地域で何かを始めようと画策するわけなんです。謙虚な人もいれば、偉そうに大口叩いている人もいます。みんな一生懸命やっていると思うのですが、私の主観では大体3年で8割の活動が継続困難になってしまいます。私も最初は失敗の連続でした。

ただこれは、どうやったらうまくいくのという話でもなく、「成功するのはごく一握りの世界」と捉えるのがよいと思うのです。まさにプロスポーツの世界なのかなと思っています。神童と言われたような選手がプロとして入団しても生き残れるのはほんの一部。でもそんな厳しい世界があるからこそ見る価値がある。

そんなわけで、**明日には首切られて忘れ去られているかもしれないヨソ者エリート**がたまた7年も高松という地に呼ばれ続けて生き残って、普通の人たちと色々なまちづくりを仕掛けている。そんな関係性を読み取ってもらえるんじゃないかなと思います。

2人の性格分析

	かなこ	おーみ
性質	気づいたら大体リーダーになっている	前には出ないが役割としてのリーダーに回る
ヒーローに	なりたかった	なるのはいいけど人知れず人々を救うタイプがいい
おせっかいの指針	wants（自分がやりたい・やらねばと思ったら突き進む）	needs（人々が何を必要としているだろうかを気にしながら取り組む）
やりたいことの考え方	夢組（やりたいことへ突き進む）*1	叶え組（やりたいことがある人の助けになろうと全力になる）
舞台で例えると	脚本家タイプ、自分がというよりみんなを押し出したい	マネージャータイプ、チケットの売れ行きや当日の弁当のことなどを気にしている

	かなこ	おーみ
人前で話すときは	自分の思いを全世界の人に聞いて欲しい	私の話なんかで大丈夫ですか？　から始まる
行政に対しては	行政の手の届かない領域を切り開く	行政が困っていることを一緒に解決する
法人格は	しっかり活動を続けて、後から必要に応じて法人格	とりあえず法人格や枠組みを作る（お尻に火がつかないと動かない）

私から見たおーみさん、かなこさんの性格を対比してみました。一見するとかなこさんは「前へ、前へ」、おーみさんは「後ろから」という印象が強いのですが、法人を作るとなるとかなこさんは実に慎重でした。逆におーみさんは作ってから考えるというタイプでして、逆転しています。ただの「普通の人」だったはずなのに、実際に一緒に仕事をしてみると細かな性格の違いが出てくるものです。

＊1　夢組と叶え組、の考え方については、桜林直子『世界は夢組と叶え組でできている』（ダイヤモンド社、2020年）がベースになっています。

まちづくりってなんだっけ

改めて、「まちづくり」って何でしょうか。尊敬する明治大学教授・小田切徳美先生によると、「バブル経済下で語られた〝地域活性化〟に代わる用語として、意識的に使われ始めた」のが「地域づくり」という考え方であり、「多様な総合的目的を持ち、地域の仕組みを革新しながら、内発的に新たな地域をつくりあげていく」[*2]ことと述べられています。

ちょっと難しいので噛み砕いてみましょう。右肩上がりの時代、経済一辺倒でどこも同じような開発が進んで金太郎アメのようになってしまった。これからは、自分たちの町ってどうなったらいい？　何があったらいい？　と考える癖をつける時代です。その上で国任せ・偉い人任せではなく、**自分たちの力でできそうなことを少しずつでいいから進めてみること。**無理に活性しなくていいし、唯一の答えもない時代だから耳障りの良さそうなことをやろうなんて思わなくていい。まちづくりってこういうことなんじゃないかと思っています。

だいたいのことはまちづくり

とはいえ、多くの人にとってはそこまで地域のことを考えて行動を起こすのは難しいと思います。何してほしいか言ってくれたらやりますよ、という人が大多数なのではないでしょうか。「公民館長さん、私は何をしたらいいでしょうか？」「うーん、では植栽ボランティアでもしてもらいましょうか」「はーい」といった光景が目に浮かびます。ボランティア活動に参加してもらうのはとても良いことだとは思いますし、そこで新しい仲間ができればそこは貴重な地域の居場所になっています。それも地域づくりですね。

あなた自身がどこかへ働きに出ることだってまちづくりだと思います。毎日健康に出掛けてもらって、稼いだお金で地域経済が少しだけ回って、あなたのお仕事もどこかで誰かの役に立っているはずですから、まちづくりなのです。

面倒だなぁと思う地域の役職、降り掛かってくるＰＴＡや消防団、周辺の清掃活動、こ

＊２　小田切徳美「地域づくりと地域サポート人材―農山村における内発的発展論の具体化―」農村計画学会誌Ｖｏｌ．32，Ｎｏ．３，２０１３年12月

れも地域づくりだと思います。少なからず誰かに役に立っていると思いますし、こうした活動を全部行政任せや外注にしてしまうととてつもないコストになってしまいますから、面倒でも自分たちでできることは自分たちで、というのが良いのだと思います。

ただ、せっかく参加するのだから仲間作って、おしゃべりも楽しんでしまおうくらいの気持ちで参加できるといいですよね。だから、おーみさん、かなこさんのストーリーがなぜ重要なのか、こうした視点からも分かってくると思います。何もカッコいい行動を起こす必要もない。**ちょっとしたおせっかい、そして、せっかくだから楽しんでやろう。そんなところからうっかり広がっていく。**それがまちづくりなのだと思うし、だから大体のことはまちづくりなのだと思います。

元気なあなたがいるから

なので、無理に地域を元気にしたいとも思わなくていいと思うのです。こういう活動をしていると、青白い顔をして「地域を元気にするために私は活動したいんです！」と言ってくる若い人がよくいます。気持ちは嬉しいですが、とにかく目に見える成果を残したいと焦っており、イベントをしましょう、何かを作りましょうとなってしまう。地域の人々も優しいので若い彼らの力になってあげたいと無理してしまう。結局、疲弊感につながってしまう、といった光景をよく見てきました。（私も若いときはよくやらかしました）。

ちょっと視点を変えればいいのです。**「あなたが町を元気にするのではなく、元気なあなたがいるから町が元気になる」**ものなのだと。無理に何かをしようと思わず、せっかく地域に関わりたいと思っているのだから、もっと地域の人達とたくさん話して、既存の祭りや常会などに参加して、人々に触れて、それ自体をもっと楽しめばいい。それだけでも本当に良い思い出になるし、そこから得られる経験値は計り知れないものです。

そして何より、そういう場に若い人が混ざって元気を振りまいてくれるだけで、それが本当に大きな力になる。まずはそんなところから始めたらいいと思うんです。

遠回りが実は最短？

またこれは個人的な意見ですが、人ってそういう遠回りなところを評価していたりするんですよね。「あんなイベントしました、こんな企画しました」と目先の成果を自慢しているような人って意外と安っぽく見えるものです。何人集めた、こんな議論が出た、喜ばれた、と。だいたい同じ話を聞かされて、苦労話に至っては聞く前から大体言い当てることができてしまう。「ふーん、凄いね」で終わってしまい何か聞いてみたいとも思わないのです。

この逆で、「とある地区のオッチャン達をずっと定点観測していました」「県内のいろんな地区の行事や祭りに暇さえあれば駆けつけていました」なんて人が来ると、私なんかは興味津々です。「で、何か分かった？」「いや何もわかりませんが色んな人と仲良くなって超楽しかったです」なんて返されたら、こいつは何か持っているぞと思うわけです。

そして、まちづくりで活躍している人ってそうした経験を積んだ人が多いような気がします。おーみさんなんか、毎週どこかのイベントに顔だしてちゃっかり写真に収まっています。当たり前にいろいろな地区や団体に溶け込んで、ただ楽しんでいるだけ。そのうち顔が広くなって、気づけばそれ自体が仕事になっていくのです。

香菜子さんは定点観測の天才だと思うんです。イベントや企画ありきではなく、ずっと子育て中の悩みを定点観測し続けて、いつの間にか新しい発想の子育てサークルができあがっていきました。元気にしようと無理しないで、**元気を振りまいて楽しく遠回りしてい**

たら、結局それが最短で地域を元気にする道だったということです。

2　「ゆるいつながり」の重要性

「地域づくりってそもそも何だっけ」という視点から２人の活動の意義をお話ししてきました。ここから少し話を広げて、「普通の人」たちによる様々な活動が広がってくることが地域にとってどういう意味があるのか、地域を俯瞰する視点で解説していきます。

脱・起業塾から始まった

尾野が手がける地域づくり入門講座はとてもゆるい講座だねと言われます。

高松市の地域づくりチャレンジ塾や、全国で手掛ける担い手育成の取り組みもとてもゆるい場を運営しています。まずは自分なりの企画書を書いてみるところが到達目標で、起業することは特に促したりしません。

最初は全国で行われる起業塾と言われるものがとても嫌で、そうでない場を作ろうと思ったのがきっかけでした。起業塾という仕組み自体もとても大切だとは思いますし、そこから優れた起業家やビジネスプランもたくさん輩出されていると思います。ですが中にはいい加減なビジネスプランに補助金をつけて無理やり起業させられて起業塾の成果ですと運営側にいいように誘導されて、その後不幸になってしまうケースもたくさん見てきました。

裾野づくりで地域の財産づくり

私も基本的には優れた起業家を輩出したいと願っています。その癖なぜゆるくなってしまうのでしょうか。それは私がリーダー育成にほとんど興味がないからです。担い手育成の専門家を自称しているくせに何を言うかと怒られてしまいそうですが事実なので仕方ありません。その代わり私が興味を持っているのは、**優れたリーダーの卵が吸い上げられていくような「裾野」づくり**なんです。

日本のサッカーがこの30年ほどで急に世界に通用するレベルに発達したことを知っていますか。ここにはサッカーという競技に関わり続けられる「裾野」を作ろうというJリーグの構想があったのです。２０１４年にプロ３部リーグに当たるＪ３リーグが新たに創設されました。人々は今更なぜ３部なのかと驚きをもってこの発表を見ました。そしてその下部にＪＦＬリーグや都道府県レベルのリーグとまさに裾野が構成されつつあります。

これが例えばサッカーの本場・イングランドに行くと22部まで構成されているんですね。4部までがいわゆるプロリーグ、そして5部から10部までがセミプロ。私も7部の試合を実際に見たことがありますが大学出や海外からトップ移籍を狙うような若手がしのぎを削る激しい競争が繰り広げられる世界です。その中には地元の消防士が選手として混ざっていたりする。連れて行ってくれた人は地元選手が活躍していることをとても誇りにしていると言いつつ、５００円余りの入場料で週末を楽しんでいる姿がありました。

そうして優れた選手が上へ上へと吸い上げられていく仕組みがあるからこそイングランドのサッカーは常に世界的に強いというわけなんですね。欧州の強豪国には軒並みこうしたシステムが整っています。

私が作りたいのはそんなモデルなんです。今すぐ起業しなくてもいいし、週末や子育ての空き時間でのんびり続けておいてくれればいい。その代わりゆるくつながっておいて欲しいとお伝えするのです。誰が活躍するかなんて分からないが、**ゆるいつながりの中から**

一定の確率で全国的なソーシャルビジネスの事例が生まれてくる。それが裾野という考え方でして、そんな広い裾野を地域の財産として残せればいいなと思っているのです。そうした発想なので自然とゆるい輪になって行くのです。*3

余白の重要性

ゆるさというのがなぜ重要なのでしょうか。私が思うに、**革新的な物事を生み出すためには「余白」が必要**だと考えているのです。

日本にも数多くの世界的に知名度を誇った企業があります。しかし近年では事実上海外資本の傘下になってしまったと言う企業も少なくありません。大企業ですら倒産してしまった例も数多くあります。ではそうした企業がどうだったかと言うと組織的な問題は多かれ少なかれ抱えていたにせよみんな至って真面目に課題解決に取り組んでいた訳です。それでも潰れてしまうことがある。

片やうまくいっている企業や急成長している企業を見ると熱狂的にやっているもののどこか危なっかしいところがあったり本当に真面目にやっているのと思うような一面があっ

たりすることがあります。言ってみれば余白というものが存在するんですよね。

地域というものを見回してみても同じようなことが言えると思うのです。各地に地場の有力企業があって、行政や住民自治の最前線で人々の安心安全を支えている人々は皆さん本当にまじめに取り組んでおられると思います。

ですが少子高齢化が進行し、先進国で初めて人口減の局面となったこの現代の中で、ますます複雑化し噴出し続ける地域課題に対応できているとは思わないのです。ましてや縮小し続ける地域経済問題、この20年皆さん真面目になんとかせねばと言い続けて誰か抜本的に解決できた人がいるでしょうか。

＊3　そして、講座中に尾野が案外淡々とコメントしているのも、常に裾野づくり、地域の財産づくりを意識しているからです。一人ひとりに熱血で接することもできるのですが、入門講座という位置づけからしても、そこは抑えて接しようとかなり意識しています。

真面目かつ批判を恐れず大胆に

地域再生をリードする先進地の行政も基本的には真面目でありながら、ある種の余白があるものです。私自身も島根県で海士町《あま》・江津市《ごうつ》・雲南市と地域再生の取り組みに尽力してきました。どれも全国的に注目される最先端地域です。裏で仕掛けてきた私はさておき、実際に行政で支える人々は本当に熱意が溢れ真面目な人たちばかりでした。

でも勝負どころでは批判を恐れずに大胆に先進的な取り組み進めてきていたのです。海士町では都市農村交流バスツアー、江津市では全国初の地方版ビジネスプランコンテストと企画をしてきました。全国各地にそのモデルが導入された先進事例となりましたが、その舞台裏はというと、真面目さ半分・遊び心半分で企画をしていたものです。たまたま助成金が採択になって「急いで何かを企画しなくては」という事情もあったとはいえ、当時20代の大学院生だった私に企画を委ねてくれた彼らの大胆さ、器の大きさは測り知れません。これからの都市農村交流や移住政策のありかたをデザインするような企画を自由にやらせてもらいました。江津市では２０１４年に地方紙47社が審査する「地域再生大賞」にて大賞を受賞。雲南市は２０１８年に同・準大賞を受賞しています。余白があったからこうした大胆なことが実現できたと思っています。

ゆるさは地域にとっても大事

ゆるいつながりの重要性に話を戻しましょう。社会学にスモールワールド・ネットワークという考え方があります。初めて話す相手に思いもよらない共通の知人がいて、そうすると英語では「イッツアスモールワールド（なんと狭い世界なのか）！」と合いの手を入れることからそういう名称なんですね。よく知られた話では約6人の知り合いを介するとアメリカ人なら誰でもアメリカ合衆国大統領に繋がれるということを研究した論文があるような研究分野です。[*4] 研究によると、長く続く組織はネットワークが身内に固まらず多様に広がっているといいます。企業の衰退や成長をネットワークで表現できたりします。集落や地区に置き換えるとわかりやすいですね。少子高齢化に悩む集落でも**集落内だけ**

＊4　ネットワーク理論については、西口敏宏「遠距離交際と近所づきあい　成功する組織ネットワーク戦略」NTT出版、2007年、がわかりやすいです。

の濃いつながりになっていたり、世代相互の交流がなかったりすると衰退の要因になります。逆に地域外との交流を定期的に行ったり地区内でも世代間の交流を意欲的に行ったり異業種間の対話を努力して行なっているとプラスに働くということになります。ただし安易に交流していればよいということではなく、イベント疲れを起こしているような状況だと衰退の要因になるようです。真面目過ぎず、内向きになりすぎず、ゆるいつながりを構築するといった、余白を意識するとよいと言えます。

近くの異業種・遠くの同業種

そしてこれは私の師匠の関満博氏（一橋大学名誉教授）の受け売りなのですが、**「近くの異業種、遠くの同業種」**のつながりも重要です。中小事業者はどうしても近くの同業者でつながってしまいがちです。作物を作っていれば「○○生産部会」、商工業者でも若手部会や婦人部会といった会合がよくあります。企業でなくとも医療福祉機関なら地域連携の連絡会議に、学校の先生は圏域で週末の研究会に忙殺されています。

もちろんそれはそれで大事なのですが、可能性を広げたいなら人間関係や商売のかぶらない少し遠くの同業種に繫がってみるべきだと思っています。遠距離で付き合うとかなりの情報が得られたりします。そして近くの異業種とも広く付き合ってみる。

異業種と会話するのはとても疲れることです。なにせ言葉が違うのです。現場で奮闘している小中学校の先生と、若い農林水産業生産者と、医療福祉関係者と、はたまた子育て中のママさんがいたとします。例えば今から地域課題について対話をしましょうと言われて、どう思うでしょうか。直面している課題も違うし、専門分野を素人にイチからわかりやすく説明するなんて、そんな面倒なことなんでしなきゃいけないのと。

でもそうした近くの異業種、遠くの同業種とつながるための努力はすべきなんですね。それが複雑な地域医療福祉の課題を解決するかもしれないし、中小企業では新たなビジネスに繫がる可能性があるのです。近年は災害が多発しています。そうした際にお互い助け合えるのもこうした異業種の繫がりだったりします。

複雑化する地域、答えのない時代

これまでの高度成長の時代、先人たちの大変な努力により豊かさを手に入れたと思います。ただ、ある意味わかりやすい時代だったのかもしれません。荒廃した戦後いち早く復旧すること、そして経済発展していくことが至上命題とされた時代でした。そんな時代の中ではとにかくがむしゃらに働くこと、そして目の前の課題をいち早く解決する能力が求められた時代でした。試験というモノサシで、決められた答えを素早くミスなく導き出せる人材を育成すれば大体何とかなっていた。とりあえず和を乱さず一生懸命真面目に働けば何となく明るい未来が見えていたと思います。

少子高齢化が本格的に進行した今の時代、どうなったでしょうか。多くのかたが思い悩んでいるのが、現代は**「ひとつの明確な答え」がなくなってしまった**ことなのではないかと思うのです。追いつくための目標もない。豊かになりたいと思っていたがよく考えてみると身も心も豊かになり切ってしまった。人口対策と言われるが、どう考えても日本全体の人口が減っているのに限られた人口を奪い合ってどうするのでしょうか。

そして身の回りの社会課題はますます複雑になっていく一方です。貧困問題、子育て支援に関する課題、移民のこと、ＬＧＢＴに関すること、障害者の社会参画、教育格差、耕作放棄地問題、鳥獣害対策、農林水産業の構造的問題、中小企業問題、中国東南アジアへの空洞化問題、地方の産業立地問題、毎年のように起きる災害対策、未だにおわらぬ東北震災復興、そして未曾有のコロナ対策……。挙げていけばきりがないことばかりです。

現代の「真面目病」

そして、どの分野もみんな「真面目に」対策を打っていると思うのですが、その真面目さに問題がある気がしてなりません。ある社会課題が深刻化して、なんとかせねばと声が高まったとしましょう。まずはみんなで真面目に対策をすると思います。それはそうですね。ところが、さらに想定外の別の問題が起きたとしたらどうでしょうか。当然対応はするると思いますが、そんなに問題が噴出するなら根本的に考え直したほうがいいんじゃない？　とも思うはずです。

岩手県宮古市の田老地区には昭和の三陸津波で壊滅的な被害を受けたことから10mの防潮堤が建設され「万里の長城」と呼ばれていました。しかし東日本大震災ではそれを超える津波が押し寄せます。では次は14・7mでどうだ、と更に嵩上げされた堤防が完成しました。想定外を目先の対策で応急処置を繰り返す「真面目病」に陥りかけてしまいました。しかし同時に、想定外の大災害は必ず起こるから堤防さえ作れば安心という考えはやめよう・高台避難をしっかり心がけようと、日頃の防災意識が高まっています。

制度の漏れを更に制度で応急処置して、それでも想定外の問題が出てくる。そもそも枠組み自体を考え直さないと、って心のどこかで分かってはいる。けれど真面目だから批判を浴びてまでそんな手のかかることに手を出して評判を落としたくない。**真面目に応急処置を続けて、結局みんな疲弊している。**そんな状況ありませんか。

「高い堤防作ればいいってわけではないよね」とちょっと立ち止まれば良いだけなのに、真面目だから立ち止まる勇気がない。世の中のあちこちで、似たような問題が起きています。空き店舗対策でも、福祉や子育て対策であっても、そんな話ばかりです。結局目先の対策で済ませてしまい、真面目に疲弊している。それが現代の「真面目病」だと思うのです。

一人では解決できないことばかり。100人の普通の人で

すでに世の中は、一つの簡単な正解がある時代ではなくなっています。あちらを立てればこちらが立たず。全ての課題を簡単に片付けられるわけではないのに、真面目に解決し

ようとしてしまう。

こうした**「真面目病」の呪いを解き放つのが、ゆるさ**なんです。具体的には「100人の普通の人」のゆるいつながりだと思っています。カリスマでも主役でも何でもなかった人たちなのですが、身の丈で・ほっとけない精神で、面白おかしく身の回りの課題に挑んでしまう。一人ひとりは本当にちっぽけな存在だったものが、100人くらいが束になると真面目な人達には思いつきもしなかったやり方で複雑な地域課題を解決してしまう。そんな人たちが次々と出てきているんです。

先般の西日本豪雨災害が発生した際、「普通の人」のゆるいつながりが自然発生的に助け合いの輪につながった出来事がありました。市内ほぼ全域が断水となってしまった広島県尾道市では、たまたま水の出た地区の人々が声を掛け合って入浴施設を開放し近隣地区住民を助けました。こうしたときには行政は緊急対応に追われてここまでの小回りの支援をする余裕はありません。

どうやら市内全域断水だが、うちの地区だけは水が出るねぇ。みんなさぞかし困っているだろうから風呂の開放をしよう。でも、人手が足りない。ということで、SNSを通じて「風呂を開放したいけれど、みんな助けて」と発信したのです。どこからか次々と手伝いが来て瞬時に入浴開放につながりました。私も塾長として携わって7年目になる「尾道市若者チャレンジ講座」の卒業生たちのゆるいつながりも大いに役に立ったようです（もちろんそれが全てではありません）。市長から感謝の言葉をいただきました。

どんなに頑張っても一人では解決できない問題ばかりなのです。行政がいくら努力しても解決できない問題も増えています。予算にもかぎりがあるし、想定外の問題が噴出する時代です。でも、ゆるいつながりで解決できてしまうことがあるんです。

3 なにか始めたいあなたのための超入門トレーニング

ここまで、「普通の人の地域づくり」の話と、ちょっと大きな視点で地域全体で「ゆるいつながり」を作っていく重要性について解説してきました。ではこれを読んだあなたが何か始めたいと思ったらどうすればよいのでしょうか。

高松市周辺にお住まいの方は「たかまつ地域づくりチャレンジ塾をぜひ受講してください」とおすすめしたいのですが、そういう方ばかりではないと思います。尾野が監修する地域づくり塾の要点をお伝えしつつ、普段の講座でみなさんに考えてもらっている内容を解説したいと思います。名付けて**超入門トレーニング**です。実際に使用している課題シートもいくつか紹介します。地域づくりチャレンジ塾の半年間の流れについては第4章でも取り上げていますので、合わせて読んでみてください。

うまくいく人の「的確・共感力ある」話し方

私の思うはじめの一歩、実はとても簡単なのです。何か始めたいと思ったら「話し方を鍛えて人前で話してみる」、それだけです。そんなのでいいんですか、知識や資金計画はいらないんですかと聞かれます。そういうのも大事ですが、まずは話し方からなのです。それだけの講座で数多くの地域の担い手を輩出してきましたし、ソーシャルビジネスの創業事例も数多く生まれています。

空き時間でちょっと何かを始めてみたい。今の仕事をもうちょっと楽しくこなせるようになりたい。新しいことに挑戦してみたい。そうした方々にたくさん出会ってきました。ある時、うまくいっている人に共通するとある簡単なルールがあることに気づいたのです。それがどの方も**「喋りが（1）的確で（2）共感力がある」**ということでした。

的確とはどういうことでしょうか。完璧でなくて良いから、相手が聞きたいと思っていることを伝えられる力なのかなと思います。自分がどういう人間でどういうことをしたいと思っている、そしてこんな仲間に集まってほしい。さらにはこんな助けが欲しいし、こんな繋がりがあれば情報を教えて欲しい、といった内容を伝えられたらいいと思います。なんだ、そんなの当たり前じゃないかと思われるかもしれませんが、これが意外とできないのです。自分が話したいことを話せば良いと思うのですが、相手の求めている情報と違うので「そうじゃなくて……」となってしまうことが多いのです。

そして共感力です。感動の間違いでは？　とよく聞かれます。もちろん人々を感動させられるに越したことはありませんが、それよりも、分かる・そうだよね・ぜひ実現してほしいと思ってもらえるような話し方ですね。もっと言えば、数ミリでも良いからちょっとやってみる・やってみたと言える姿勢です。そして、この人には何か協力したいと思わせられるようになってほしいと思っています。

10年歩み続けられる力

逆に「うまくいかない人」の例を想像してみるとわかりやすいかもしれませんね。的確さだとどうでしょうか。感心するような経験や特技を持っているのに、自分では大したことないと思っているから隠してしまう。やる気はあるのだけれど、モヤモヤで今ひとつ伝えきれていない。話が漠然としていて、一言でこれをしたいんですと言えない。聞いている側からするとちょっと困ってしまいますよね。

共感力についてもそうですね。どこか他人ごとで本当にやりたいことなのと疑ってしまうような話しぶり。仕事だから・担当だからというのが顔に書いてあるような話しぶり。簡単な日本語で言えばよいのに、大きく見せたいから難しいカタカナ語でごまかす。カッコつけて身の丈以上のことを話すので、耳に入ってこない。あれが駄目・世の中が駄目・○○だから、と理屈やできない理由ばかり並べてしまう。何で私の思いを分かってくれないの、私のことなど分からないからと急に攻撃的になる。

こうなってしまうとうまくいかないよね、というのが何となく想像つくと思います。表にしてまとめてみましたが、どうでしょうか。うまくいく傾向の人を見ると、何となくスッキリしていて足腰が強そうだねと思えませんか。**こんな状態を私は「10年歩み続けられる力」と呼んでいます。**急成長のベンチャーを立ち上げたいならこんな力はいらないと思いますが、複雑な地域課題に時間を掛けて楽しく取り組み続けるにはこんな力が必要なのだと思っています。

	うまくいく傾向の人	うまくいかない傾向の人
的確さ	・自身のことを客観的に伝えられる ・相手が聞きたいであろう内容を話せる	・自身の経験や特技を濁してしまう ・伝えたいけれどモヤモヤで伝えきれない
共感力	・できそうなことを少しでもやってみる ・助けたいと思ってもらえる話し方 ・何でもいいから助けてと開放的	・どこか他人事、できない理由が先に出る ・身の丈以上、カタカナ語でごまかす ・私のことなんか分からないからと攻撃的

いい大人が今さら自己紹介

私はうまくいかない傾向かなと思ったあなた、大丈夫です。「的確・共感力ある話し方」というのは**ある程度トレーニングができる**のです。おーみさん、香菜子さんも、どちらかというとうまくいかない傾向が出ていたような気がしますが、今では押しも押されもせぬ人気者です。ではどうやってこうした力を鍛えていくのでしょうか。具体的なシート（次頁上の図）を見ていきましょうか。

このシートは全国どこの講座でもほぼ必ず初回講座で使用します。宿題で書いてきてもらうこともあれば、その場で時間を取って記入してもらうこともあります。その上で「今から、書いた内容をもとに一人3分程度で自己紹介をしてもらいます」とお伝えします。

「そんなの無理」と驚いてしまう方も多いですが、何のことはない。ほぼ全員が3分を超過するほど喋れてしまうのです。いい大人が何年ぶり、何十年ぶりの自己紹介をするという光景はなかなかのものです。

ポイントは、誰かがしっかり時間を計ることです。3分以上は喋れないから声の大きい人がダラダラ喋る心配もない。自信がない人でも何とか3分喋り続けよう。安心な雰囲気の中で、自身のモヤモヤを言葉にしていくことで着実に話し方が鍛えられていきます。

この2枚のシートを使うだけでも効果はありますので、ぜひ試してみてください。5〜10名くらい集めて、2時間程度あれば十分に場が作れます。私も単発のセミナーで何かやって欲しいと頼まれたときにはよく使います。半年間学んだ受講生が自分の職場で研修

似顔絵
写真
など

かんたんな自己紹介

--

メッセージ

--

私の過去から現在まで、3大できごと

できごと1	そのときの気持ち
できごと2	そのときの気持ち
できごと3	そのときの気持ち

人生のバイオリズム（波形グラフで書いてみよう）

過去 → → → 現在

最近気になること・頭を占めていること

--

Vol.1

名前、ニックネームなど

私の興味あること、放っておけないこと

	ここが興味ある、放っておけない		どうなったらよいと思う？
1.	--	▶	--
2.	--	▶	--
3.	--	▶	--

Vol.1

名前、ニックネームなど

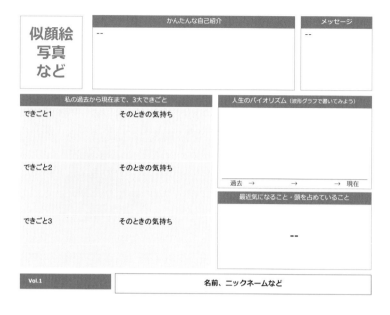

代わりに使うケースも増えています。発表を通して、普段顔を合わせる人の意外な側面というのが見えてくるようです。

マイプランを導き出す

あとは毎回の講座で話す作業の繰り返しです。自己紹介に慣れてくると、次はあなたが考えていること、取り組んでみたいことを詳細に整理する作業です（右頁下の図）。さらに写真やイラストを使って分かりやすくしてみましょう。これを「言語化と視覚化」と呼びます。よく使うシート（次頁の図）を見てみましょう。

ビジョン・ミッションという聞き慣れない言葉が出てきました。ビジョンとはあなたが実現したい「よのなか像」[*5]のことです。ええ！　私によのなかのことなんて分からない！と思うかもしれませんが、これは誰もが持っているものなのです。世界平和だっていいし、安心安全な地域を作りたいというのもよのなか像です。食の安全を実現したい、子育てに優しい社会になったらいい、などでもいいですね。

写真やイラストなど

活動の様子や、お世話になっている人、参考にしている事例、モデル図などを貼り付けてみましょう。

ビジョン・ミッション・プランの整理

①ビジョン（あなたが思う、実現したいよのなか像）
あなたが実現したい未来像は何でしょうか？「～な状態」「～なせの中」と表現してみましょう。

②ミッション（自身が当面取り組んでいること）
あなた自身がいま取り組んでいることは何でしょうか。マイプランに限りません。 生活上のこと、仕事のこと、学んでいること、空き時間で取り組んでいること・・箇条書きで書き出してみましょう。

③マイプラン（半年間でチャレンジしたいこと）
改めて上記の中から、半年間で一歩でも前進したいと思うことを書き出してみましょう。当初のプランと変わっても構いません。
（プランにキャッチフレーズを付けてみましょう！）

ミッションは、当面あなたが「直面している物事」です。仕事が忙しい、子育て真っ最中、就職活動が控えている、自治会の役を引き受けてしまった。そうしたものを書き出していきましょう。既にやりたいことがある人は、話を聞きに行く、ワークショップを開いてみるといった「取り組む予定」のことも一緒に書いていきます。

そして、ミッションの中から一つ抜き出して人に説明するのが「マイプラン[*6]」です。取り組みたいことがある人はそれを選べばいいし、何もない人は、いま直面していることを

＊5　何でひらがななのとよく聞かれます。これは東京都初の民間人校長として教育改革に取り組んだ藤原和博氏が推進した「よのなか科」に敬意を表してこう表記しています。学生時代にその現場でインターンで働かせてもらっていた時期がありまして、地域づくり塾の司会進行手法にも多大な影響を受けています。やたら時間を区切る手法などもここから学んでいます。

＊6　マイプランは、「マイプロジェクト（マイプロ）」の言い間違いから生まれています。マイプロとは、井上英之氏（イノラボ・インターナショナル共同代表）が、2005年から慶応大学総合政策学部「社会起業論」の講義にて、実務と理論を合わせた講義を開発する際に出来上がったものです。「マイプロジェクトのような方式でプランを作成する塾です」と説明しているうち、行政関係者が「マイプランを作る塾」というようになってしまい、そのまま普及してしまいました。

大いに「よのなか」像を考え、同時に「足元」も見直してみる

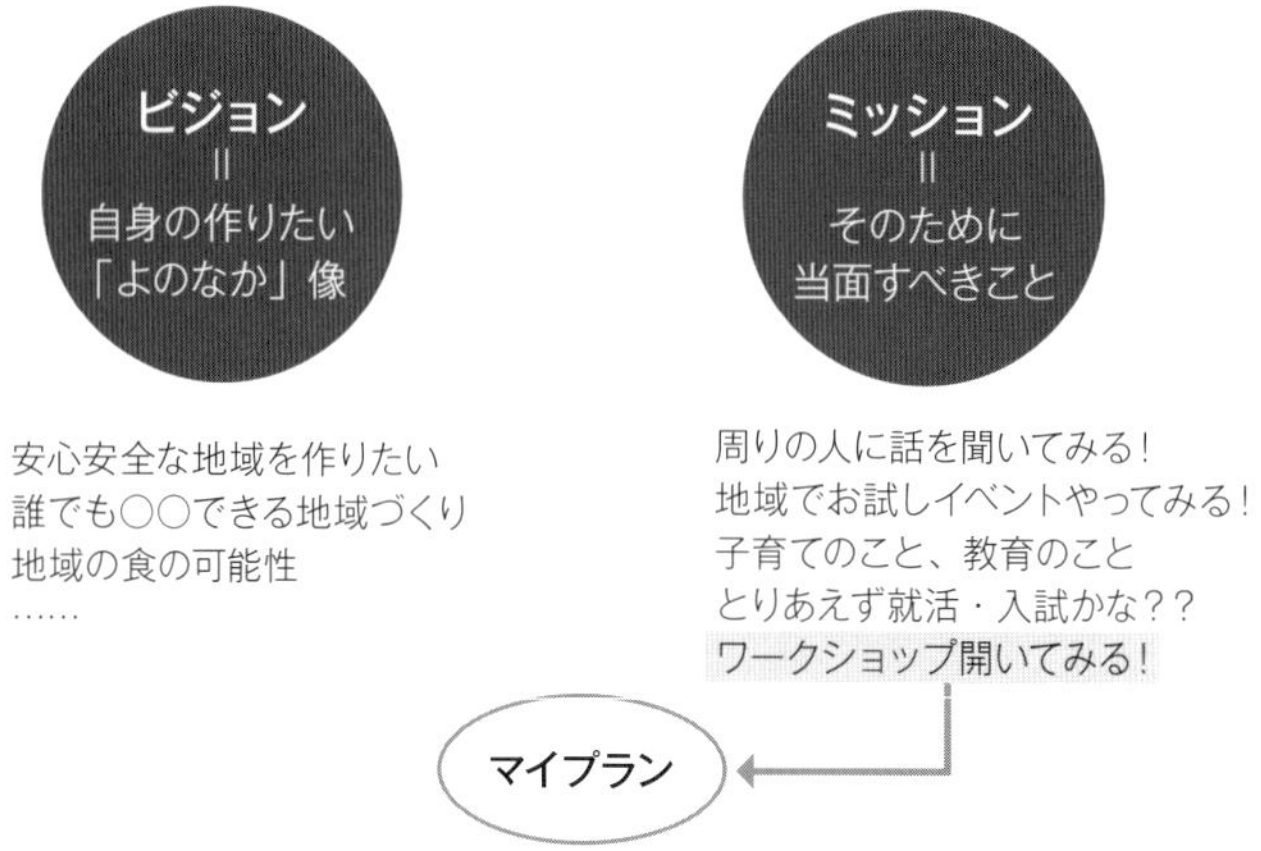
ビジョン
=
自身の作りたい
「よのなか」像
ミッション
=
そのために
当面すべきこと
安心安全な地域を作りたい
誰でも○○できる地域づくり
地域の食の可能性
……
周りの人に話を聞いてみる！
地域でお試しイベントやってみる！
子育てのこと、教育のこと
とりあえず就活・入試かな？？
ワークショップ開いてみる！
マイプラン

話してもらえばいいのです。「私の就活奮闘記」でもいいし、「うっかり自治会役員を引き受けてしまった話」などでも十分に発表になります。そして周りが一生懸命応援してくれると、確実に世界が広がっていきます。何かを始めたい、というのは実はとてもかんたんなことなのです。**奇抜なアイデアは必要なく、あなたが当たり前に取り組んでいることの延長線上**で良いのです。第４章で取り上げた地域づくりチャレンジ塾受講生の事例も改めて参考にしてみてください。何でもない身近なことがライフワークになってしまった事例がたくさんあります。

トレーニングを経て、「助けられやすい人」になる

こうしたトレーニングを積むとどう変化するのでしょうか。簡単に言うと、「周りが助けられやすい人」になるのかなと思います。人気者と言うのかもしれないし、ついつい周りが助けてしまうオイシイ奴・ちゃっかり君とも言えるでしょう。

的確さや共感力に欠けてうまくいかない状態というのは、例えるなら**「陰と陽」で言い表せる**のではないかと思います。陰極へ偏りすぎても陽極へ偏りすぎてもうまくいかない。安易にバランスを取れということでもないのですが、両者が歩み寄った形がいいのかなと思っています。おーみさんと香菜子さんがなかなか相容れなかったのもこの陰と陽だったような気がしています。

ここで典型的な例として、一人の仮想人物像を作って表にしてみました。これは複数の方の事例を個人が特定できないように組み合わせたものです。お二人に怒られてしまいそうですが、おーみさんを「的確さ欠如型」、香菜子さんを「共感力欠如型」として、キャラクター化しています。悩めるみなさんのために大目に見てもらうこととしましょう。

極端な陰と陽、そして助けられやすい状態

的確さの欠如（陰極：おーみ初期型）	こんな人だと周りは助けやすい	共感力の欠如（陽極：香菜子初期型）
「何かしたいと思っているんですけどねー、うーん。得意技？あることはあるんですが自慢できるようなことではなくて。子供たちの笑顔を見たいかも。名付けて笑顔プロジェクト！　宣伝どうしましょうか？」	「ただの主婦です。でも音楽を教えていたことがあります。身近な貧困問題が放っておけない。居場所づくりができたらいいなと思うので近いうちお試しイベントをしてみる。まず誰に会うべきか教えて欲しい」	「私は〇〇音楽大学を出てこんな演奏会にも出たことがある。子供たちは〇〇を学ぶべきだから場所を提供してもらいたい。いつまでも行政が動いてくれない。収益化が難しい。私の感性に仲間がついてこない」

右の表をもとに解説していきましょう。この方、専業主婦として長く過ごしてきましたが子供が大学に進学し、第二の人生を模索することにしました。核家族化が進み、行政も把握できない潜在的な貧困家庭が増えていることを身近に感じています。自身も音楽ではプロにはなれませんでしたが小学校の臨時教員として音楽を教えていたことがありました。そんな小さなお試しイベントを繰り返し、講座では日々の試行錯誤を発表していました。そんな中で色んな人に助けられ、今では自身で音楽と居場所づくりを掛け合わせた独自の貧困対

策を進めています。

同じ人でも的確な話し方ができていないと表の上のような状態になります。音楽大学を出て音楽を教えられるくらいなのに、話せていません。プロでもないしと謙遜してしまったのでしょうか。貧困問題が深刻でなんとかしたいけれど、うまい表現が思いつかない。何となく良さそうな「笑顔」でまとめてみた。さながらそんなところでしょうか。これでは周りもどう助けてよいかわからないですよね。

逆に表の下の共感力が欠けている状態を見てみます。プロになれなかったコンプレックスでしょうか、カッコつけた話が出てしまいました。課題意識も自身の考えを押し付け気味ですね。そのくせ大事なところは行政のせいにしています。せっかく良いことをしていても何となく協力しづらいなと思ってしまうのではないでしょうか。

改めて申し上げますが、おーみさん、香菜子さんがこうだったというわけではありません。そして、真ん中のような謙虚な人でいなさいと精神論を押し付けるつもりもありません。ただ、**何かを始めたいときにはこう話すとよいのかという「コツ」**がイメージとして伝わるかなと思います。半年も色々な人達と一緒に過ごしていると不思議なもので、トゲトゲしていたものや違和感のあるものがすっきりして良い方へ向かっていくのです。そうしてちっぽけだと思いこんでいたあなたの世界があっという間に開けることになります。

聞く、書く、話す、寝かす!!

こうした流れを繰り返し、最終的に「報告会」という形で5〜7分程度の発表をして半年間のプログラム終了です。報告会は様々な地域課題に向けた小さな一歩の取り組みが聞けるということで周辺から関心ある人々が多く聞きに来てくれます。講座内容について全ては書ききれませんので、良かったら竹端寛・尾野寛明・西村洋己共著『無理しない地域づくりの学校』(ミネルヴァ書房)にさらに詳しく書いていますので読んでみてください。

なぜこんなトレーニングが地域で何かを始めるための一歩になるのかとよく聞かれるのですが、私が思うに、**「聞く、書く、話す、寝かす」**の繰り返しが大事なのだと思っています。月1回集まって、考えたことを発表する。うまく伝えられることも、そうでないこともあると思います。いずれにせよ色々な人からコメントが貰えるのでそれが励みになります。他の人はこんなことをやっていた、そんなやり方があるのか、あの人と一緒になにかできないかと、周りの人の発表を聞いて思いつくこともあるでしょう。その上で、次の発表はこうしてみよう、みんなに自慢できるように何かやってみようと、**毎回の発表が自身の歩みの「ペースメーカー」**になっていくのです。

そして、講座の合間が約1ヶ月空いていること。これも重要な点です。普段他にやらなければならない物事がある合間でなにか始めるには、ある種の余裕が必要だと思っています。他のことをしながらも頭の片隅でこれからどう進めようか、次の発表どうしようかと何となく気になっている状態、これが「寝かす」状態です。寝かすなんてどうなのと思われる方もいるかも知れませんが、それも含めた循環が人を伸ばすものだと思っています。この循環は特に講座に頼らなくても、自分自身で定期的に誰かに報告するような機会を作ることで同じような環境を作ることができますね。

また、半年間の講座が終了した後は自分で報告の場を作ろう、どこかで発表できる機会があれば積極的に足を伸ばす癖をつけようと伝えています。そういうのができるとさらに伸びていきますね。次年度の講座でその後の報告をできる場なんかも設けています。

「A×B」の発想

そして何か始めてみるためのもう一つのポイントとして、「A×B」の組み合わせがあるといいなと思っています。自分が手掛けたいと思っていること、できること（A）に、全く異なる分野のこと（B）を掛け合わせることができないか考えてみるという発想です。

恐らくどんな方でも自分自身を体現するAの部分は何かしら持っていると思います。ただの主婦、ただの学生、それでもいいです。○○が得意、趣味で○○に没頭していたなどでもいいですね。そこに、どんなBを掛け合わせるかというのがポイントになります。

第4章には、「鍼灸師×地域のウェブサイト」で新たな境地を開拓した岡田幸美さんの事例や、科学教室にアロマオイルなど若い世代の興味ありそうなネタを取り込んでいった高木崇安さんの事例などを取り上げています。私自身もただの古本屋ですが、東京から島根に移転をして「古本×過疎地のネット通販の可能性」を試行錯誤しました。そして、「古本×障害者雇用の可能性」を追究していた時期もあります。今では、「古本屋×3セク鉄道会社」で古本屋のくせに鉄道会社の維持存続に奔走しています。

もちろん、無理に掛け合わせずにAの部分だけを突き詰めても良いと思います。それだけでうまく行っている事例もたくさんあります。ですが、そのままだと既に他の人が取り組んでいるということも多いです。鍼灸を勉強している人はたくさんいますし、古本をフリーマーケットで販売している人も多いでしょう。じゃあそれと何が違うの、あなたのよのなか像を体現するためにどうしたら良いだろうか、と考えていると、自然と「A×B」の掛け合わせが生まれてくると思います。多様化する社会課題を斬新な手法で解決する新たなソーシャルビジネスが生まれてほしいなという願いも込められています。

同期の受講生と半年間という長い期間一緒に過ごすので、そうした掛け合わせが作りやすくなります。他の受講生の多様な取り組みを知り、様々な地域課題や社会課題を知ることで、全く異なる掛け合わせを思いつくこともあります。また、これも講座に頼らなくても、**他分野の人と広く交流をもつことで「A×B」の掛け合わせを色々思いつく**ようになると思います。異業種の人と話すのは最初はとても緊張しますが、だんだん慣れてくると思います。積極的にやってみましょう。

こうした流れが一連の「超入門トレーニング」ということになります。どうでしょうか。的確で共感力ある話し方を身に着けながら簡単な企画書づくりを進めていくだけという見た目とても簡単な内容なのですが、そこにはとても奥深い世界が広がっているということを感じてもらえたと思います。色々なセミナーに行けば創業にあたっての知識や手法などは学べるので、そういうのも体験してみると面白いでしょう。そのうえで、そうした手法とは一線を画した「10年歩み続けられる基礎体力」を身につけるという考え方もあるんだねと理解してもらえれば嬉しいです。

おの×香菜子×おーみ

第8章

座談会

わたしをつくるまちづくり

2021年5月10日　ZOOM開催

▼コロナ時代のまちづくり

おーみ　コロナね……、ここまでくると一種の災害だよね。

おの　声の大きくない人とか、弱い立場にある人が周囲に気づかれないまま首を締められているというか、そんな状況なのかなぁ。

香菜子　普段から子育てのことを考えてる人ってすごく少ないなって感じてる。コロナになって、もっとそれが明白化してきたというか……。

おーみ　そうね。

香菜子　子育て支援センターとかって古民家とかアパートの一室とかでやってるみたいなのが多い。うちらも、行政の委託を受けずに自立して運営する地域子育て団体だし。今は、コロナになって、行政が言えない「子育ての場でマスクを強制するのはおかしい」とか、「ふれあいを大事にしよう」みたいなのを余計大事にするようになったわ。

おーみ　語弊があるかもしれんけど、日本人わりと私みたい人ばっかりなんだなと思って。

おの　ははは（笑）

おーみ　私自身すごく人に影響されやすいし、自分がどうしたいかの前にまずは周りの情報を聞く、って感じ。この1年で、良くも悪くも人ってこんなに他人の意見に影響されるんやな、っていうのを改めて思ったかな。

おの　なかなかコロナ禍でよかったことなんて言いづらいけども、気づいたことで言うと、やらなくてもいい行事をコロナを言い訳にスルーできるようになった。

おーみ　それはあるね。

おの　目的があって始めた何かの行事があるけど、その目的を忘れ去られて行事だけが最終的にひとり歩きする。で、みんなやめたいのにやめられないという謎の行事が相次いで。学校も、地区や団体も。一概によくはないかもしれないけど、そういうのをことごとくコロナを理由に一掃できているのかな。

おーみ　それもあるけど、これはやったほうがいいと思うことがコロナを理由に「これ幸い」みたいな感じで潰されてる感もあるけどね。

おの　確かに。本当は「重要かそうでないか」で考えないといけないんだけど、「手のかかることはやめよう」となっているのも感じる。「重要でないのに手がかかる」のは当然やめてもいいんだけれど、「重要だけど手がかかる」ことが中止になってしまうと、おいおい大丈夫？　と思ってしまう。

おーみ　それがどれくらい誰に必要なことなのかっていうのを丁寧に検証しないまま、とりあえず全部やめちゃえって。ひとつの思考停止かなと思うけどね。

おの　そうそうそう。

香菜子　説明が足りない気がする。コロナが流行して1年、2021年の今の段階になって分かってきたことも多い中で、なんでこういうやり方をするのか、なんで中止なのかっていう説明がない。運動会が去年はもちろん一切なくなってしもた。今年は一応やる予定になったけど、1年生から6年生25分ずつの保護者ひとりだけ参観っていうことになってる。運動会の目的って、なんだっけ？　って思った。親が見に行かんでええけん学校の子どもたちだけでやって、ビデオ配信してもいいし、写真だけ見せてくれてもいいし、見せてくれんでもいい。いろんな選択肢がある中でなんでその選択になったのかっていう説明が全然ない。

おの　結論だけじゃなくて、どうしてそう判断したのか、過程も教えてくれると安心なのかも。

香菜子　私だったらもっと違う書き方すると思う。運動会の変更があったとしても、理由とか、でもそのかわりこういうことを大切にしたいとか、そういうんが知りたい。

おーみ　知り合いの子の学校がね、運動会はするけど、リレーはしないんやって。なんでって聞いたら、バトンの受け渡しのときに接触の可能性があるって。でも、それ言い出したら黒板消しもチョークも全部アウトだろって。それ聞いたときに、みんな、びっくりしないのかな？　って思った。

香菜子　でも学校側は、国とか県がそういう指針だから、それに則ってやります、そういう人がたくさんおる。こっちから見たらおかしいと思うことも、向こうは一生懸命大真面目なん。

おの　現代の真面目病ですよ。余白がなんもない。

おーみ　誰かを傷つけてやろうとか、雑に扱ってやろうなんて思っとる人はいなくって、ほんまに自分が置かれた立場と環境の中で、「最善は何だ」って考えて真面目に考えた結果があれなんよね。

おの　そう。だいたい真面目に考えた結果、みんなずれていっちゃってる。

おーみ　アベノマスクとか、ああいう国の施策も一生懸命その立場の人が置かれた環境の中で何がベストか、っていうのをめちゃくちゃ真剣に真面目に考えた結果やと思うんよ。

香菜子　私ね、実体験がないからだと思う。私だって、ビジネスマンの実体験がないから、ビジネスマンのかゆいところに手が届くようなこととは言えないかもしれんけど……。例えば一概には言えんけど母親の実体験がある人が政策決定をしてない。みんな仕事っていう一面性しかないから、実体験がともなった「暮らしをよくしよう」という政策がつくれないんじゃないかな。

おーみ　数字とかデータとかに頼りすぎだよね。物事を平等な目で見るために、数字は必要って私は思っとる。だけどそれに頼りすぎるというのは危険やなって。データによる全体施策と、暮らしの実感、そこはちゃんと持っときたいなぁと思う。

香菜子　バトンの話も一緒だと思う。

おーみ　そういうことよね。

おの　数字だけの押しつけじゃなくて、「数字＋直感・実感・愛」というところがないと気が利かないものになるんだろうね。お二方なんか特に直感・実感を大事にして、いやこれ必要だろっていうサービスを提供してるっていうことなんだろうし、それこそＮＰＯの存在意義なのかなって思うしね。

おーみ　うまいこととまとめたな！

香菜子　行政だけに教育や子育てが頼りすぎっていうのは、コロナ禍になって可視化されたことだと思う。だからこれからは民間で担える教育や子育てを、「直感・実感・愛たまに数字」みたいな感じで当事者たちでやっていける仕組みも作っていきたいなって思ってる。

▼おのさんは令和の無責任男？

おーみ　おのさん、すごいなとも思うんやけど、ちょっとムカつくんよね（笑）

香菜子　なんかね、放浪の人って、いい加減で信用できないイメージがない？　でも、おのさんは放浪の人で表面的には信用できない感じなんやけど、筋が通ってるし信用できる感じがする。

おの　あぁ、確かに。何が違うんやろね。

香菜子　放浪しながら何かの活動してる人って、自分はこう思う、教えてあげるっていうのが強いかも。でも、おのさんは自分のことよりみんなの聞き役っていう面が多くて、だからといって、コンサルとも違う。おのさんは何にも人のこと考えない、そこまで責任持たないし、無責任だし、ただこんな事例あったよみたいな話を持ってきてくれる研究の実践者、そういうところが違うんじゃないかな。

おーみ　そうだねぇ。正論なし、正義感なし、責任感なし。三なし男よね。

おの　ははは（笑）

香菜子　うまいこと言うたね。

おの　責任感ないわ、おれ確かに。やばいやつやな。

香菜子　いや、そこがめちゃめちゃいいところなんやと思うよ、やっぱり。

おーみ　最初、おのさんは地域チャレンジ塾の「先生」だったやん。だから何となく「まぁ話聞くか」ってなったけど、この出会い方じゃなかったら、たぶん好きになれなかったと思う。

香菜子　クラスにおったらムカつくかも（笑）。だって、私正論あり、正義感あり、責任感ありやもん。学級委員タイプの私からしたら、一番嫌いなタイプ。

おーみ　そうやろ。

香菜子　だけど、チャレンジ塾とかするには正論なし、正義感なし、責任感なし、これがものすごく大事なポイントなんや。

おーみ　それはすごい今わかる。

香菜子　だってどんな意見でも受け入れてくれるんやもん。

おーみ　そうそうそう。

おの　世の中ね、正義と正義の対立ほどタチの悪いものはないっていう。今のコロナの世の中もそうだよね。

香菜子　まぁ、でもおのさん、私たちに対する責任感は……ないこともないのかな？

おーみ　なくはないと思う。なんだかんだ言って、時間も合わしてきたり、これどう？　って提案してきたりするしさ。

香菜子　でも気分はあるな。

おの　気分屋です（笑）

おーみ　この人に一番してはならないことは「期待」だね。だいたい裏切られるからね。

おの　くっくっくっくっ。

香菜子　例えばおのさんは…、自分が必要なときにこれどうしたらええの？　って質問して、答えてくれたら使うみたいな、「おのさん」っていうアプリなのかな。

おーみ　便利屋さんかな？　なんやろ？

おの　アプリではないと思うんだよね。地域課題の担い手育成やってるけど、人材育成にはあまり興味はなくて、そういう優れた人が吸い寄せられて排出されていく仕組み作りの方に興味があるんだよね。

おーみ　究極、人には興味ないの？

おの　……いや興味はあるのよ。でも、一人一人のひとへの興味とは違くて。例えば高松地域づくりチャレンジ塾で80名以上もの卒業生が輩出されました、と。それってたぶん人が育っていく大きな財産が高松に作られたと思うんだけど、そういう風な仕組み作りっていう方。

おーみ　なるほどね。

おの　もちろん一人一人の人にね、うまくいってほしいとは思ってんだけども。

おーみ　それは分かってるよ。

香菜子　そういう仕組みを目指しているってみたいなことかな。

おーみ　なんかもう生態系なんだろうね。

おの　そう、生態系づくり。

おーみ　それ、面白いなぁ。

おの　なんとなーく他人ごとで接しているように見えるから、反感持たれたりするんだけど。

香菜子　最初は理解できないと思う。

おの　もっと熱血でみんな頑張ろうよといった「いわゆる先生像」を期待してみたら、そういうのはまったくないからね。

おーみ　それは期待できないところだね、全然ね。

香菜子　おのさんの塾の意味とかなんでおのさんがこういう発言をするかとか、当時は分からんかったけど今なら分かる。ある時おのさんが「おの先生」って呼ばさないことに意味があるんやなってことに気づいたんや。私も、子育て講座の教室とかで「先生」とか「かなちゃん先生」って私を呼んでくる人とかもおるんだけど、それはやめてってって言っとる。おのさんって、教えてくれる人じゃないんよね。

おーみ　そうそうそうそう。

香菜子　伴走者？

おの　自分たちで、お互い助け合ってくれというのがある意味理想で。こっちで一から十までお教えすることはできるけども、やっぱりそれって意味がなくてね。

ちょっとくらい頼りないなって思われてるぐらいの方が、案外よかったりする。そこが余白っていうところなのかなぁ、と。

おーみ 余白は大事だよね。

香菜子 私なんかはおのさんの真似をしようと思っとるところがあって。ママSUN'S作るときにも、一から百まで教えない、大事なことは一応伝えるけど、あとは自分たちでやってくださいっていうのはうまくいく秘訣やなって実感として思うね。

おーみ そうね。

香菜子 地域づくり自体がそうやん。コミュニティ協議会の会長さんがみなさんこれはこうしてくださいとかって一から百まで言ったってうまくいかない。そうじゃなくて、「何したい?」「いいじゃん、それ」「これあるけど使う?」みたいな形式だよね。

おの 自分の妻が子どもを妊娠中のとき、産婦人科の両親学級みたいなのに行ったんだよね。あれがすごい違和感があって。助産師さんがいろいろ教えてくれてその疑問に全部答えてくれるのね。それはそれで有難いんだけど、いやそうじゃねぇだろっていう。10人も20人も参加者がいたら、お互いに悩み共有できれば、そっちの方がよっぽどいいんじゃないかって思ったんだよね。

おーみ　なるほどね。

▼まちづくり球場でのそれぞれのポジション

おの　地域活動を始めようという読者の方は、つまみ食いでいろんなものを見に行ったらいいと思うんだよね。例えたら、野球でもコンサートでも、別のスポーツのあと映画行くでも、まずは体験をしてみる。そうすると例えば野球場だと、そこには選手もいるし、その野球場を運営しているマネージャーみたいな人もいるし、観客席にはお客さんもいる。どれがえらいってことじゃなくて、どれもいなきゃ野球場っていう場所は成り立たない。それでひとつ体験してちょっとこれ違うなと思ったら、別のところに行けばいい。他の場所でのめり込んだら、そこでプレイヤーを目指すのか、いやボランティアスタッフとしてそういう環境を作る側を目指すのかと、ということなんかなぁと。

香菜子　私、プレイヤーが好き。でもマネージャーも好きなんかなぁ。どこに視点を置くかによって誰もがプレイヤーではあるとは思っているけど、自分がどっちなんか

おの が分からん。おのさんはどうなん？

香菜子 競技全体の底上げを図っている人、かな。サッカーの話で本文中にも書いたね。本業は監督じゃなくて、未開の地に普及させて競技レベル全体の底上げを図りたい。なんだけど、普及のために一応指導もしていて、全国フラフラしている謎の監督。そういう意味では、仕組みづくりと、そのために一時的にコーディネーターもしている人なのかな。これで通じる？

おーみ 分かるよ。

香菜子 例えば子どもがスポーツしたいってなったときに野球とか選ぶ子が多かったけど、そこの選択肢にサッカーも入れてもらえるように頑張る、サッカー界全体のPRってことでしょ。

おーみ あ、そういう感じ。

おの じゃ、さっきのコロナの話の、今ニュースで最優先に、経済活動の停滞が…って言ってるときに地域活動の停滞が…ってなったらいいね。おのさんの功績で。

香菜子 私たちが発信する意味ってそこなんかな。休日の空き時間に、野球しますか？サッカーしますか？　ジム行きますか？　コミュニティセンターの草抜き行きますか？　くらいのレベル感で選択肢に入れてもらいたいよね。

香菜子　野球も、サッカーも、まちづくりもおもしろいよみたいな。

おの　そうそうそうそう。

香菜子　まちづくりって、プレイヤーとマネージャーが自由に入れ替われると思うよね。自分は最初、家で教室開いたりとか、細々とやっとったんだけど、ひとりでやっとったらプレイヤーでしかない。だけど、あなたもやってみない？　っていうことを始めたときにマネージャー力になってくる。私が誰かを誘い、誰かが誰かを誘い、っていうことによって地域のみんなが一緒に楽しいことができるし、その誘った人の誘った人の誘った人がやりたいことを一緒にできたりするやん、思いもしないことを。地チャレの塾生は最初はひとりのプレイヤーだけど、できればマネージャーになっていってほしい、っていうのもあるのかな。

おの　ほしいというか、そういう道もあるよっていうことかな。選手として開花する人もいれば、後輩の指導をする方が向いている人もいる。

香菜子　ひとりでプレイヤーやっとってもええわけか。

おの　そうそう。人を引き寄せるのも才能だし、一人で黙々とバッティングセンター通いだって構わない。

香菜子　おーみさんはどこなの？

おーみ　ベンチ。しかも、ベンチに座ってる人じゃなくて、まさにベンチそのもの。

香菜子　帰ってきたときにホッとしてもらえる場所、みたいな？

おーみ　そうやね。で、とりあえず送り出す。行け！　行け！　みたいな（笑）

香菜子　移動はしないの？

おーみ　あんまり自分の中で移動してるイメージないんだよね。動いていろんなとこ行くよ、けど、感覚的にずっとここにいる気がする。まして、ボールあんま投げないしなぁ。

おの　キャッチャーだよな。

おーみ　まぁね、人なんだったらキャッチャーだよね。

おの　控えのキャッチャーとか。

おーみ　そう。とりあえずやってみいやって控えてて、ピンチになったときに、よし、ほんならちょっと空気かえるか、じゃじゃーんって出てくる。主役になることには全く興味ないけんね。主役が投げてくるボールを、しっかり受け取るのが好き。

▼ダイバーシティ（多様性）とインクルージョン（排除しない仕組み）

香菜子　私じつは、多様性がめちゃめちゃ苦手なんですよ。違う考えの人がいる空間って気持ちいい？　言語が違えばコミュニケーションできなくて疲れるし、一番しんどいのは、考えが違う人たちが一緒の場におるときほんと疲れるし、しんどいなぁっていうのを感じる。

おーみ　多様な人の空間でも堂々と意見しているから意外。

香菜子　逆に多様性がない状態、例えばみんなが阪神タイガースファンの空間、すごく気持ちがいい。だけどその中に巨人ファンが数人いたらすごい気ぃ遣う。でもみんなが阪神好きなんてありえないし、野球のチーム以上にひとりひとり違うわけやんか。だから、多様性っていうのはやっぱりしょうがないことなんやなって思う。

おの　たしかに、多様な人と話すってほんと疲れる。チャレンジ塾の中でも多様性っていうのは大事にしている、とはいえイラッとすることはある。他の人に悪影響及ぼすようなことがあるとさすがにごめんなさいってなってしまうから、全部が大丈夫ってわけではないしね。

香菜子　それでも同じ部分を見つけたときにはホッとするし、違う人がおるからできなかったとか分からなかったっていうのはすごい残念で。みんなでできる話を考えたい。すぐにはできないし、一生かかってもできないかもしれんけど、まちづくりとかでもそれをやるのがおもしろいなって思う。

おーみ　排除しないの逆の言葉は受け入れるって言葉なんやけど、受け入れるっていうことはどういうことなのかって未だに分からない。

おの　地域で暮らしてると陰口も多い反面、懐の深さも感じる。とある個性が強めな夫婦がいて、周りのみんなあの家どうなのと分かっていても、付かず離れずでその地域に暮らす一員として受け入れているってのはよく見る。ほっとくと脱落していっちゃうから、排除せずにギリギリみんなで囲っておこうみたいな意識が働くのかなぁと思って。

おーみ　私は、受け入れるって、その人をひとりの個として認めてあげるっていうことなのかなぁって思うんよ。その人の価値観を否定しないで認めてあげる。私は違うけどねって思いながらでもいいと思うんやけど。

香菜子　私、よくみんなに「なんで?」って聞いてしまうんよね。なんでっていう問いは自分が責められているように感じる人が多いから、あんまり言うたらいかんのやけどね。ただ逆に私は思ってもないのに、うわべで相手の意見に同調する人があんまり好きじゃないんやって。それよりかは、絶対こうしたほうがええに決まっとる、あんたもこうしなよって言ってくれた方が嬉しい。

おーみ　……ぜんぜん分かんねぇ！（笑）

香菜子　納得解というか、いいと思うものをアイデア言い合って共有したい。例えば、よくうちはご飯食べる前にお風呂に入るのね。そしたら片づけとかが早く終わってその後ゆっくりできるし早く寝れる。でも小さい子どもがおる友達とかから、8時半から洗い物して片付けして洗濯したらもう10時くらいになるみたいな話を聞いたら、先風呂入った方が絶対いいよ〜とかアドバイス言ってしまうんよ。

おーみ　そんなこと言われたって相手はしないやろ。

香菜子　一回やってみてほしいんよ。で、考えを教えてほしい。

おーみ　例えば、やってみたとするやん。そしたらお風呂の後になって、「明日の朝いるもん買い忘れとる！」ってなって、パジャマやのに、買い物行かなきゃいけないようなったやん！　みたいなことなったりするわけやんか。

香菜子　うんうん、そういう話がしたい。そういう話をして、そっかぁあなたは先お風呂入らん方がいいんだね、私は先お風呂入る方が楽やわ、みたいなんがすごい私理想。そこまでいくといろんな人がおるんやねっていうんが理解できるけど、検証してもないのに絶対無理って思ってやらない、そういう人が圧倒的に世の中多い気がする。

おーみ そういう些細なこと、ちっちゃいことをいちいち口に全部出してたらキリがなくてめんどくさいって思うところが、私けっこうあるんよね。

おの うちもそうだわ、たぶん。毎日そんなわぁわぁ言ってたら疲れちゃうわ（笑）

香菜子 たしかにめんどくさくて疲れることもあるだろうけど、まちづくりでも、どうしてそんな風なやり方をするの？　っていっぱい聞いて、いい方をみんなでやったり、やっぱこっちの方がええわっていう話をしたい。

おーみ それはそうやわね。毎日毎日はできんけど、大事なこととか、この人とはちゃんと分かり合っときたい、そういう人とはちゃんと対話をした方がいいよね。

香菜子 私が言いたいのは、人に合わせてたら、人と人との本当の関係性は生まれないってこと。だから仲良しほど、おーみさんと私だって、いっぱいぶつかり合っとる。要するにインクルージョンするためには、自分を分かってないとダメで、自分のことを分かって相手に言えるからこそ、他の人がこうなんだっていうのが聞けるし。私はこういう理由で先風呂入ってます、みたいな。

おーみ　1個分かったのは、受け入れるっていうことの明確な答えは見つからんけど、分かった気になる、同調するっていうことが受け入れるっていうことではなさそうだっていうこと。

香菜子　だけん、ぶつかり合うこと。ぶつかり合うっていうたらなんかネガティブやけど。

おーみ　対話を重ねる？

香菜子　そうとも言うし、自分のことも表現できないかんよね。

おーみ　香菜子がいつも言う多様性とかインクルージョンてさ、どうしても外に向けてのイメージ強い言葉やなって私は思ってたんやけど、準備として自分で自分のことが分かってなかったらダメなんやなぁっていうのを感じたな。

香菜子　素晴らしい。その通りだと私は思う。

おーみ　ははは、ありがとうございます。

香菜子　でもさっきの話の、なんでも同調する人、多くない？　そっかぁ不登校かぁまぁええよねぇ別に元気だったらぁとか言いながら、自分の子どもにはめっちゃ学校行きなさいとか言ったりしよるとか。それってなんか違うなって思うわけよ。

おーみ　なるほどね。でもその人もそうやってやらんかったら、自分が守れん何かがあるんよ。

香菜子　そうなのかな…。でも、対話するなかで互いの困りごととか本質的な状況を知ることによって助けられる。排除しないって言葉に上から目線みたいな感じがあるんやけど、そうじゃなくて、インクルージョンって互いの状態とか性質とかをよく知ることで、あの人今これで困っとる、私今これ余っとるから持って行けるわとか、あの人はあの状態やったらこれできるから電話して助けてもらおうとかいうのができるっていう状態がインクルージョンなんだと思う。今、思いついたけど。排除しないというより、助け合えるみたいな言葉の方が近くない？　おのさん、どう？

おの　うん。そういうことだね（棒読み）

おーみ　ははは（笑）、こんだけ香菜子が語ったのにそれだけ？

おの　これって答えのある話じゃないので。でも、かなりみっちり話せたからすごいいいと思う。こうやってダイバーシティを推進しているようなおのもおーみも実は自分の生活面では全然グダグダだし、仕事面でも主張ぶつけ合うとか全然やってない。先生ぶってても意外とそんなもんなんですねって笑ってもらえれば。

おーみ　そうそう、そんな感じです（笑）

▼「わたしをつくるまちづくり」とは？

香菜子　この本のタイトルだけど、まちづくりっていうと他の人のことをお世話して地域を作るってイメージがあるけど、実は、わたしをつくることから始まるんだよ〜みたいな。

おーみ　そうだね。

おの　あなた自身からというのもそうだけど、世のため人のためにほっとけない社会課題があっていろいろ活動始めていたら、結局それって自分のためでもあった。誰かのためにやっていたら自分のことも形作られていっていた、っていうのがこのタイトルなんかなぁ。おーみさんなんかそんな感じだよね。

おーみ　自分以外の何かや誰かのために考えたり汗かいたりすることはもちろんあるし、全然嫌じゃないし、ダメじゃないし、むしろいいじゃんって思う。でも楽しんでやってますか？　っていうのは見失っちゃいけないと思ってる。だいたい真面目すぎる人って、誰かのため何かのためっていう大義名分や正義感で動いてる人が多いような気がするなぁ。結局誰かのためって思ってやることもあるけど、そうやってやっている自分が自分で好きなんだと思う。

おの　世の中にはびこる真面目病への処方箋でもあると思う。おーみと香菜子という、ちょっとおせっかいだけど言ってみりゃその辺の普通の人がうっかり主役になってしまっている。っていうのがほんとに痛快さを感じるし、これを読んでいるいろんなその辺の普通の人たちが「こんなんでいいんだ！」みたいに感じ取ってくれたらいいよね。

おーみ　そうだね。別になんか、すごいことしてるわけでもないしね。

おの　そうそうそう。これまでの時代って、とりあえず一般的な教育という物差しでうまくいった人がおそらく社会に出てもうまくいくであろうという考えだった。世の中が右肩上がりだったから、それでよかったんだと思う。でも右肩上がりの時代が終わって、一つの物差しだけで測れないことがあまりにも増えてしまった。そういう時代を生きていくには？　というヒントがここにあると思う。一つの物

おーみ　差しで上位にならなくたって全然かまわない時代でもある。上がらなくていいし、主役にも別にならなくていい、しっかりそこで土地に足踏みつけて、もう図太く図々しく生きればいいじゃん、て思う。難しいことも言わなくていいし。逆に言えば主役になりたい人はなればいいし、活躍したい人は活躍すればいいし。

香菜子　これが主役だと思わない人は思わなくていいし、活躍だと思わない人は思わなくていい、みたいな。

おーみ　そうそう。中心にいるのが心地悪い人は中心にいそうな人の横にちょこんと座っとけばいいし。

香菜子　「わたし」っていうのは結局「わたし」の好きを見つけるっていうことやと思うな。何にしたってそうやん。さっきの先お風呂に入るのが好き、後からお風呂に入るのが好きっていうことやし。主役になるのが好き、ピッチャーになりたい、ピッチャーが好き、ベンチが好き、それを知る。自分の好きを知るっていうことが、わたしをつくるっていう、ことかな。

おの　旅しながら働くのが好き。

おーみ　あ、いいね。

……3人のまちづくり座談会はまだまだ続きましたが、この本ではここまで。

（文字起こし　安川典子）

おわりに
私の暮らしの在り処

大美光代

本を書くということ

ある日突然、香菜子から1本の電話がありました。電話口で彼女は、ワクワクが抑え切れないといった感じでこう言いました。「尾野さんと私と大美さんで本を書こうよ！」と。この瞬間、「これは絶対に断ろう」と直感で思いました。

香菜子は人に伝えたいことが本当に多い人で、とにかく主体性の塊のような人。常に考え、常に伝える言葉を探している。哲学者のような女性です。尾野さんはと言えば、「風の人」とはよく言ったもので、思いつきや直感ですぐに行動に移せる人。香菜子ほど情熱的ではないにしろ、やはり実行力のある人です。ただし、飽きっぽい。これは私にも似たところがあります。そんな3人が1冊の本を書き上げるなんて到底無理だと思いました。香菜子と尾野さんが二人で本を書くというのならば、それはきっと面白い本になると思うので買って読もうと思いましたが、3人目に大美光代が参加するなんてことは全くイメージできなかったのです。

それでも話をしているうちに、何となく「書こうかな？」という気持ちになっていきました。でも最後まで不安だったのは、「香菜子と尾野さんはさておき、私は本にするほど価値のある経験や見識なんて微塵もないけど大丈夫なのか。私の話なんて読んで面白いのか？」ということでした。実は、原稿を書き終えた今も、この気持ちは大きくあります。

本をつくるのを決めたのがコロナ禍中だったこともあり、月に2回のオンラインミーティングでは様々なことを話し合いました。そもそもまちづくりってなんだろう？ というような真面目な話もしました。時に雑談に花を咲かせながら、一人で足りない部分は補い合って、それぞれに書き進め、一冊の本の内容が形づくられていきました。（ミーティングの雰囲気は、座談会を読んでいただければ伝わるかなと思います。）

3人の共著だからこそ、助け合い楽しみながら本づくりができて、また私もこの本の中で小さくても一つの役割を果たせたのかな、なんて、少しだけ自信をもちたいと思います。第7章で尾野さんが、私と香菜子の性格についてタイプ分けをして、面白おかしく解説してくれました。もしかしたら読者の皆さんの中には、私のような主体性薄めなタイプの方も多いのではないでしょうか。自分には何もない、と、くよくよしてしまう私のような人も、時々「私が好きな私」に出会える、それがまちづくりの場なのかなと思います。この共著での私の立ち位置は、まちづくりでの私の立ち位置だったのかもしれません。

何かやりたいことがある人ばかりではない、なくてもいい。

世の中には数え切れないくらいの社会課題と、それをなんとか少しでも暮らしが良くなるように改善しようと奮闘する人たちがいます。もっと言うなら、課題を抱えていない個人や組織なんて、そうそういないと思うので、人の数だけ組織の数だけ大なり小なり課題はあるのでしょう。

広くNPO活動に関わっていると、気づけば私の周りには、とにかく色んなことが放っておけない、お節介さんが溢れるようになりました。お節介さんの共通点は、気になることに対してとにかく行動を起こそうとします。上手くいってもいかなくても決断の早い人が多く、常にチャレンジしている印象です。逆に私はと言えば、そんなに意思決定も早くないし、むしろ挑戦や変化よりも今日と同じ明日がくるといいな、くらいのぬるーい考えの持ち主です。本章でも書きましたが、私自身、「これがやりたい、こうありたい」という強い気持ちがある方ではありません。もちろん、「こうだったらいいのにな」程度の希望はありますが。そういう私だからこそ、強い思いと行動力を持つ人たちに憧れる気持ちが大きいのだと思います。

代表として、そういう自分にコンプレックスを感じることもあります。私の周りのリーダーは、はっきりとしたリーダーシップを発揮される方が多く、憧れと同時に、同じようにできない自分の姿に落ち込みます。でも、最近では「まぁ、それもいいか」と思うようになりました。そう思った一つのきっかけは、大好きな谷益美さんが、「リーダーって良く見たら色んなタイプがあるよ。おーみちゃんは、自分とそれ以外の人っていう枠で見てるのかもしれないけど、その2種類だけじゃないし。よく観察してごらん。それから、サーバントリーダーシップっていう言葉もあるよ。もしかしたら、おーみちゃんはこれに近いんじゃない?」と教えてくれました。

サーバントリーダーシップとは、アメリカの教育コンサルタントである、ロバート・K・グリーンリーフが1970年に著書の中で生み出した言葉で、「奉仕(servant)こそがリーダーシップの本質である」と説いています。今は、支援型リーダーシップとも呼ばれるようで、「自ら他の人へ奉仕することで導いていくタイプのリーダーシップ」とされています。他にも、組織論の研究の世界ではリーダーシップの他にフォロワーシップという概念にも注目が集まっています。

つまり、私のようにやりたいことが特になくとも、誰かのサポートやお手伝いを通して発揮できるリーダーシップや、時にはフォロワーシップもあるということです。谷さんはよく、こうもおっしゃいます。「別に、リーダーじゃなくてもリーダーシップは発揮できるよね」と。明確なリーダーシップを発揮する人は重要だし、大体そういう人は声も大きい傾向があるので注目もされます。でも、声が小さくて注目されることはなくても、どこかで誰かのお役に立っている。そんな存在も、いえ、むしろそんな存在こそを私は大事にしたいと思うのです。

ただし、「お役に立つ」が目的にならないように注意しないといけません。「誰かのために」と必死な人ほど、真面目で疲れやすく、息切れしてしまいがちです。私も「お役に立つ」は大好物ですが、何かを始める時には**「楽しいかどうか」**を重視します。楽しくてお役に立つのであれば、それはきっと続けられる。支援者が疲弊しないような仕組みづくりも大切です。

地域は多様性の見本市

「やりたいことが見つからない症候群」の私に、僅かながらでも自信を持たせてくれるのは、わがことの大事な仲間たちです。わがことの仲間は多様です。普段は自分の仕事を持っている人ばかりで、その仕事は会社員や公務員、団体職員、自営業、会社経営者、主婦、お坊さん、風の人など様々です。そういう仲間達に囲まれていると、「みんなこんなに違うんだな。でも、比べなくていいんだな」と感じます。地域も同じです。それこそ地域なんて、多様性の見本市のような場所です。そこにあるのはダイバーシティとインクルージョン。これは最近、元来カタカナ嫌いの香菜子がよく使う言葉です。よほど気に入っているのでしょうが、いい言葉だなと思います。

わがことでは、２０２1年の春に10代向けの企画を試験的に開催しました。きっかけは、わがことのメンバーの子どもたちが、中学生や高校生といった年齢になり、それぞれの進路やキャリアについて少しずつ考え始める時期がやってきたからです。せっかくこんな風に、多様な人たちとの関わりの中で活動をさせてもらっているのですから、それを子どもたちにも体験してもらいたいという気持ちで始めました。

企画の段階で、岡山県の室貫由輝先生と少しお話をしました。室先生は地チャレ1期の時にゲストで来てくださって、それからも定期的に交流があります。室先生とは地域のことを「教育」というキーワードを通してお話しすることが多いのですが、この日は「子どもが地域で学ぶって、どういうことなんですかねぇ?」と聞いてみました。その時の室先生のお話が忘れられません。

「子どもってね、どれだけ多様性だ地域学習だって言っても、結局、節目節目の時（進学や就職）に、教科の学力という**モノサシ**で計られるんよ。でもね、社会に出たら、やっぱり教科の学力だけじゃダメで、それは社会人やってたら誰でも分かるよね。企画力や交渉力や時には絵を描く力だって必要になるよね。でも学校は、どうしても学力っていうモノサシを一番強く持ってる。地域の大人はね、『それ以外のモノサシを持っている大人もたくさんいるんだよ』って、子どもにしっかり伝えてやらなきゃ。じゃないと、子どもは未来に希望も持てないし、大人になりたいなんて思ってもらえんよ」と。

直感的に、これが地域の持つ最大の可能性だと感じました。**多様であるということは、それだけモノサシの種類も多いということ**。それは、これからの主役である子どもが成長する機会としても、この上ないフィールドであるということです。それぞれが自分の好きなことや得意なことを活かして活動できる。時には、何もしなくてただそこに居るだけでも大丈夫。そんな心地よさが本来地域にはあるのだと思います。

緩やかだけど確かな繫がり

地域で得意を活かして活動していると、そこには自ずと人との繫がりができます。少し真面目な話をすると、２０２０年2月以降、日本中で猛威を振るった新型コロナウイルス感染症。当初は感染症対策の方法も曖昧で、学校が急に一斉休校になり、多くの公共施設が休館を余儀なくされました。しかし、大人たちは多少テレワークが進んだものの、多くの親は通常通り仕事に行くため、子どもの預け先がなく困る人が出たり、子どもの昼食を準備することができなかったりと、地域では色んな困りごとが発生しました。様々な地域や組織で「できることをやろう」と立ち上がった方が多くいましたが、上手く機能した事例とそうでない事例がありました。その違いは色々とあるのでしょうが、観察していて私なりに感じたことは、この「緩やかだけど確かな繫がり」があったかどうか、ということが一つだと思います。

よく言われるのは、日本人は急場に強いということ。東日本大震災や大きな災害が起こるたび、日本人の避難所での振る舞いや協力体制は、海外から大きな賞賛を得ます。たった数時間で団結し、半日後くらいには各地で炊き出しが始まって、ご近所さん同士の助け合いが始まる。支援物資もお行儀よく並んで順番を待って受け取る。そんな姿です。しかし、今回のコロナ禍においては、少し事情が違います。災害時などは、ほとんどの人が同じ経験をするため「一緒に頑張ろう」という気運も生まれやすいのですが、コロナ禍においては、困りごとの種類も深刻さも人それぞれであることから、「なんとかしないと」という気持ち自体に、温度差が発生したのだと思います。

けれども、そこには確実に困りごとを抱えている人がいる。例えば、休校中の子どもの昼食です。お仕事が休めない時に、ご近所さんに「ちょっとお願い」と言える人は良いのですが、ご近所さんとのお付き合いも希薄になってきていると言われる現代では、それができる人は少ないのでしょう。そうすると、ほっとけないお節介さんが、「うちに来てくれたらお昼ご飯を提供しますよ」と活動を始めたりします。ところが、どんなに困っていても、それまで全く交流のない見ず知らずの人の家に行って食事をいただくというのは、なかなかハードルの高いことです。これは、公共施設でも同じで、**日頃から住民との関係**

性を丁寧に作っているかどうかによって、同じ取り組みをしても結果が全く違います。これこそが、緩やかだけど確かな繋がりが普段からあるかないかの違いだと思うのです。非日常というのは、結局のところ日常の延長線上に発生するものなのですから。

人は事業に共感するのではない

同じ活動を長くやっていると、「いつも通り」「前と一緒」となんとなく旧態依然になってしまいがちです。尾野さんなんかはこの状況を「手段の目的化」と言います。地域の課題は変化しているはずなのに、取り組みはずっと変わらず。やること自体が目的になってしまう。こうなってくると残るものは、やらされてる感と疲労のみです。でも、ここで**「何のためにやってるんだっけ?」と一呼吸ついて考え直す**と道が開ける場合があります。実は、私もこれをついつい忘れてしまうことがあって、その度に仲間に指摘されます。

例えば、さっきの子どもの昼食の例で言うならば、「地域の子どもに食事を提供する」と言うのは事業です。ただし、目的は色々と考えられます。「子どもが一人で食事をして寂しい思いをしないようにしたい（対象は子ども）」なのか「外で働く親が、子どもの食事を気にせずに安心して仕事に打ち込めるようにしたい（対象は親）」なのか。どちらが目的であっても良いのですが、誰に向けての活動なのかによって、共感を得られる人は違ってきます。その部分を丁寧にしっかりとお伝えすることは、特に、活動の仲間を探している人たちにとっては、とても重要です。結局のところ、人は事業ではなく、どんな思いで活動しているのかという姿勢や目的に共感するのだと思います。

あなたの自分ごとを

今回、この本を書くにあたって、自分の幼い頃からの記憶や経験を随分棚卸ししました。記憶が曖昧なこともたくさんあって、「もう40年という時間を重ねてきたんだな」と実感しました。40年も生きてきたのに、私が自分の人生を主体的に捉えて歩み始めたのは、たった数年です。まだまだ未熟者です。早いか遅いかで言えば、もうちょい早く何とかならんかったかな？　という思いもありますが、改めて振り返ると、このタイミングだったな、と思います。

ここまでお付き合いくださったあなたにも、いつかのタイミングで、ご自分の暮らしの先に地域があると言うことを、実感される時がくると良いなぁと思っています。その時には今度はあなたの自分ごとをぜひ聞かせてください。

そんな日が来ることを、楽しみにお待ちしております。

最後に、共著者を代表しまして、この本に書き記すことのできた私達のまちづくり活動を助け一緒に行ってくださるすべての方々、そしていつも支えてくれる家族に、深く感謝を申し上げます。

特定非営利活動法人わがこと

代表理事　大美光代

この本のご感想や、皆さんのまちづくりエピソードを、SNSでハッシュタグ（#わたしをつくるまちづくり）を付けて投稿、または左の連絡先のいずれかまでお知らせくださると嬉しいです！　お待ちしています！

著者略歴

尾野寛明（おの　ひろあき）

1982年埼玉県生まれ。19歳で専門書ネット通販事業を東京で創業し、24歳で本社をまるごと島根の過疎地に移転。千葉県の赤字の第3セクター「いすみ鉄道」を古本で支援する「い鉄ブックス」を展開。地域の担い手不足が放っておけなくなり、旅する古本屋として全国20ヶ所以上で担い手育成塾を開講中。有限会社エコカレッジ代表取締役、総務省地域力創造アドバイザー。共著書『無理しない地域づくりの学校　私からはじまるコミュニティワーク』『ローカルに生きる ソーシャルに働く　新しい仕事を創る若者たち』『日本のクリエイティブ・クラス』など。

HP〉 https://corp.eco-college.com/contact/

中村香菜子（なかむら　かなこ）

1981年香川県生まれ。3児の母。保育士の経験を元に2011年から子育てサークルの活動を始め、乳幼児親子が楽しめ学べるイベントや講座を企画し、多くの子育て家庭の力となる。2019年に法人化し、一般社団法人ぬくぬくママSUN'S代表理事を務める。子育てから地域がより豊かになる視点での活動を広げ、2021年度までNPO法人わがことの副理事を務めた。

HP〉 https://nukunukumamasuns.com/
mail〉 nukunukumamasuns@yahoo.co.jp

大美光代（おおみ　てるよ）

1980年香川県生まれ、1児の母。2015年3月、大手通信会社を退職。複数の団体の事務局業や研修講師業を個人で営む傍ら、2018年1月特定非営利活動法人わがことを設立。地域の小さな担い手を発掘し、一部の人に頼りきるのではなく、誰もが主役で活躍できる地域づくりをめざして活動中。2022年、香川大学大学院地域マネジメント研究科（MBA）卒業。

HP〉 https://www.wagakoto.jp/
mail〉 wagakoto.npo@gmail.com

石炭袋

わたしをつくるまちづくり

——地域をマジメに遊ぶ実践者たち

2021年10月20日初版発行
2022年7月4日第二版発行
著　者　尾野寛明　中村香菜子　大美光代
編　集　鈴木光影
発行者　鈴木比佐雄
発行所　株式会社 コールサック社
〒173-0004　東京都板橋区板橋2-63-4-209
電話 03-5944-3258　FAX 03-5944-3238
suzuki@coal-sack.com　http://www.coal-sack.com
郵便振替　00180-4-741802
印刷管理　（株）コールサック社　制作部

装幀　松本菜央　　イラスト　中村香菜子・金森有花

落丁本・乱丁本はお取り替えいたします。
ISBN978-4-86435-491-2　C0036　￥1800E